G000277909

Code Nederlands

basisleergang Nederlands voor volwassen anderstaligen

Folkert Kuiken
Alice van Kalsbeek

deel I tekstboek

Afdeling Nederlands Tweede Taal
Vrije Universiteit Amsterdam

Meulenhoff Educatief Amsterdam

Code Nederlands
basisleergang Nederlands voor volwassen anderstaligen
is als volgt samengesteld:

Code Nederlands, tekstboek 1
Code Nederlands, oefenboek 1
Code Nederlands, set cassettes bij deel 1
Code Nederlands, docentenhandleiding bij deel 1
Code Nederlands, softwarepakket bij deel 1

Code Nederlands, tekstboek 2
Code Nederlands, oefenboek 2
Code Nederlands, set cassettes bij deel 2
Code Nederlands, docentenhandleiding bij deel 2
Code Nederlands, softwarepakket bij deel 2

Eerste druk
00 99 98 97 96 95 94
15 14 13 12 11 10 9

ISBN 90 280 6051 0

Inhoud

1 Hoe heet u?

Pamela
Karin Helga de Kam
Jos de Beer Ahmed
Rob Jansen
aicha J.W. van Delftm anna

A 1 Op een feestje

— Jos de Beer.
— Arthur Prins.

— Hoe heet je?
— Linda. En jij?
— Harry.

— Dag, ik ben Anke de Graaf.
— Dag, Rob Jansen.

— Mag ik me even voorstellen?
Mijn naam is Witteman.
— Prettig met u kennis te maken.
Ik ben mevrouw Andersen.

— Veldman.
— Van Zetten.

— Ik heet Oscar. En jij?
— Anna.

— Bent u mevrouw Overmeer?
— Ja.

— Ben jij Mariska?
— Nee. Ik heet Karin.

Zich voorstellen

formeel/informeel: *voornaam + achternaam*

— Jos de Beer.
— Arthur Prins.

informeel: *voornaam*

— Ik heet Oscar. En jij?
— Anna.

formeel: *achternaam*

— Veldman.
— Van Zetten.

Ja en nee zeggen

Het persoonlijk voornaamwoord: ik, u, je/jij

1 **ik**	— Dag, ik ben Anke de Graaf. — Dag, Rob Willems.
2 formeel: **u**	— Bent u mevrouw Overmeer? — Ja.
informeel: **je**	— Hoe heet je? — Linda.
informeel, contrast: **jij**	— Ik heet Oscar. En jij? — Anna.

B 2 **In een bar**

Hendrik-Jan	Hoe heet je?
Anouschka	Anouschka.
Hendrik-Jan	Hoe heet je?
Anouschka	Anouschka.
Hendrik-Jan	Anouschka? Hoe spel je dat?
Anouschka	A, N, O, U, S, C, H, K, A.
Hendrik-Jan	O ja.

3 **Aan het loket**

Mevrouw de Jong	Wat is uw naam?
Mark Fischer	Fischer.
Mevrouw de Jong	Visser?
Mark Fischer	Nee, Fischer.
Mevrouw de Jong	Kunt u het spellen?
Mark Fischer	Ja. F, I, S, C, H, E, R.
Mevrouw de Jong	F, I, S, C, H, E, R.

4 Het alfabet

A B C D E

F G H I J K

L M N O P

Q R S T U

V W X Y Z

Vragen om te spellen en spellen

Hoe spelt u/spel je dat?

— Hoe spel je dat?
— A, N, O, U, S, C, H, K, A.

Kunt u/Kun je het spellen?

— Kunt u het spellen?
— Ja, F, I, S, C, H, E, R.

Vragen naar een naam en reactie

Hoe heet u?
(Ik heet) ***naam.***

— Hoe heet u?
— Van Zetten.

Hoe heet je?
(Ik heet) ***voornaam.***

— Hoe heet je?
— Ik heet Anouschka.

Wat is uw naam?
(Mijn naam is) ***naam.***

— Wat is uw naam?
— Fischer.

C 5 In een café

Marjolijn	Waar woon je?
Willem	In Utrecht.
Marjolijn	Waar in Utrecht?
Willem	In de Fabriekstraat. En jij?
Marjolijn	Ik woon in Lelystad. In de Brugstraat.

6 Op een receptie

Ruud Geerts	Woont u in Brussel?
Magda de Smet	Ja.
Ruud Geerts	Waar?
Magda de Smet	In de Wetstraat.
Ruud Geerts	Ah ja, ik ook. Op welk nummer woont u?
Magda de Smet	Op drieëntwintig. En u?
Ruud Geerts	Ik woon op achtendertig.

o-o 7 Op de Nederlandse les

Pamela	Waar kom je vandaan?
Aicha	Uit Marokko.
	En jij?
Pamela	Ik kom uit Engeland.
	Kom jij ook uit Marokko?
Joao	Nee, uit Brazilië.
Pamela	En uit welk land kom jij?
Jamila	Ik kom uit India.

Vragen naar een adres en reactie

Waar woont u/ woon je? **(Ik woon) in ...**	— Waar woon je? — In Utrecht.
Woont u/Woon je in ... **Ja/Nee, (ik woon) (in ...).**	— Woont u in de Fabriekstraat? — Ja.
Op welk nummer woont u/ woon je? **(Ik woon) op ...**	— Op welk nummer woont u? — Op 23.

Vragen naar herkomst en reactie

Waar komt u/kom je vandaan? **(Ik kom) uit ...**	— Waar komt u vandaan? — Uit India.
Uit welk land komt u/kom je?	— Uit welk land kom je? — Ik kom uit Canada.
Komt u/Kom je uit ...? **Ja/Nee, (ik kom) (uit ...)**	— Kom je uit Nederland? — Nee, uit België.

Woordvolgorde: de enkelvoudige zin

Basisstructuur

Eerste plaats	*Finiet werkwoord*	*Onderwerp*	*Rest*	*Infiniet werkwoord*
Hoe	heet	je?		
Uit welk land	kom	jij?		
Hoe	spel	je	dat?	
	Bent	u	mevrouw Overmeer?	
	Woont	u	in Amsterdam?	
	Kom	jij	ook uit Marokko?	

Het onderwerp op de eerste plaats

Eerste plaats	*Finiet werkwoord*	*Rest*	*Infiniet werkwoord*
Ik	ben	Anke de Graaf.	
Je	woont	in Lelystad.	
U	komt	uit Engeland.	

Hoofdtelwoorden

0	nul	10	tien	20	twintig	30	dertig
1	een	11	elf	21	eenentwintig	40	veertig
2	twee	12	twaalf	22	tweeëntwintig	50	vijftig
3	drie	13	dertien	23	drieëntwintig	60	zestig
4	vier	14	veertien	24	vierentwintig	70	zeventig
5	vijf	15	vijftien	25	vijfentwintig	80	tachtig
6	zes	16	zestien	26	zesentwintig	90	negentig
7	zeven	17	zeventien	27	zevenentwintig		
8	acht	18	achttien	28	achtentwintig	100	honderd
9	negen	19	negentien	29	negenentwintig		
						200	tweehonderd

348 driehonderd achtenveertig

1000 duizend

1136 elfhonderd zesendertig

1.000.000 een miljoen

Ik woon in--- I live in.

8 Naam en adres

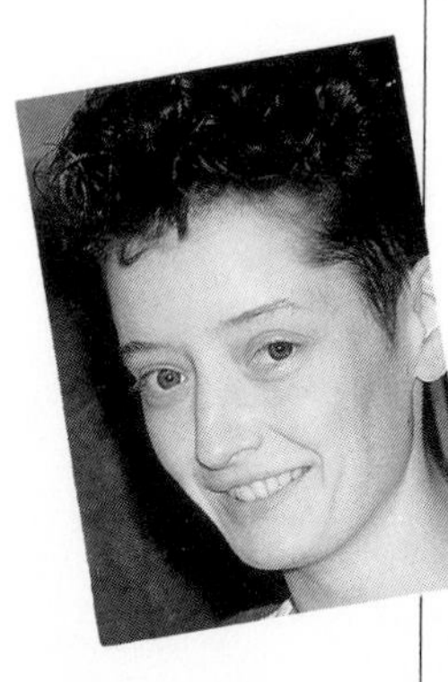

ACHTERNAAM	DE GROOT
VOORNAAM	RIA
STRAAT	BORDINEWEG — NUMMER 86
POSTCODE	8931 AT
WOONPLAATS	LEEUWARDEN
GEBOORTEDATUM	11 03 1963
TELEFOON	058 882467

D 9 Monique, Richard, Ahmed en Angela

Ik ben Monique Mertens.
Ik kom uit Gent,
maar woon in Amsterdam.
Ik ben werkloos.

Dit is Richard van den Berg, een vriend.
Hij is kapper.
Hij woont in Purmerend
en werkt in Amsterdam.

En dit is Ahmed Aslan, een buurman.
Hij komt uit Turkije,
maar woont in Amsterdam.
Hij is student.

En zij? Dat is Angela de Coo.
Angela is mijn beste vriendin.
Ze komt ook uit België.
Ze woont nog in Gent.

Identificeren

Dit is/Dat is ...	Dit is Richard van den Berg, een vriend. Dit is Ahmed Aslan, dat is Angela.

Uit: Theo van den Boogaard & Wim T. Schippers, *Sjef van Oekel bijt van zich af*. Uitg. Oberon bv, Haarlem.

Het persoonlijk voornaamwoord: hij, ze/zij

3 man: **hij**	Dit is Richard, een vriend. Hij is kapper.
vrouw, neutraal: **ze**	Angela is mijn vriendin. Ze komt uit België.
vrouw, contrast: **zij**	Hij is student. En zij? Zij werkt.

Het werkwoord: enkelvoud

	werken			*wonen*		
1	Ik	**werk**	in Amsterdam.	Ik	**woon**	in Nederland.
2	U	**werkt**	in Purmerend.	U	**woont**	in Gent.
	Je/Jij	**werkt**	ook.	Je/Jij	**woont**	ook in Nederland.
		Werk je	ook?		**Woon** je	ook in Nederland?
3	Hij	**werkt**	in Brussel.	Hij	**woont**	ook in Gent.
	Ze/Zij	**werkt**	in Gent.	Ze/Zij	**woont**	in Turkije.
	heten			*zijn*		
1	Ik	**heet**	Rob.	Ik	**ben**	Rob.
2	U	**heet**	Arthur Prins.	U	**bent**	mevrouw de Jong.
	Je/Jij	**heet**	Jos.	Je/Jij	**bent**	kapper.
		Heet je	Jos?		**Ben** je	kapper?
3	Hij	**heet**	Ahmed.	Hij	**is**	student.
	Ze/Zij	**heet**	Monique.	Ze/Zij	**is**	werkloos.

10 Adressen

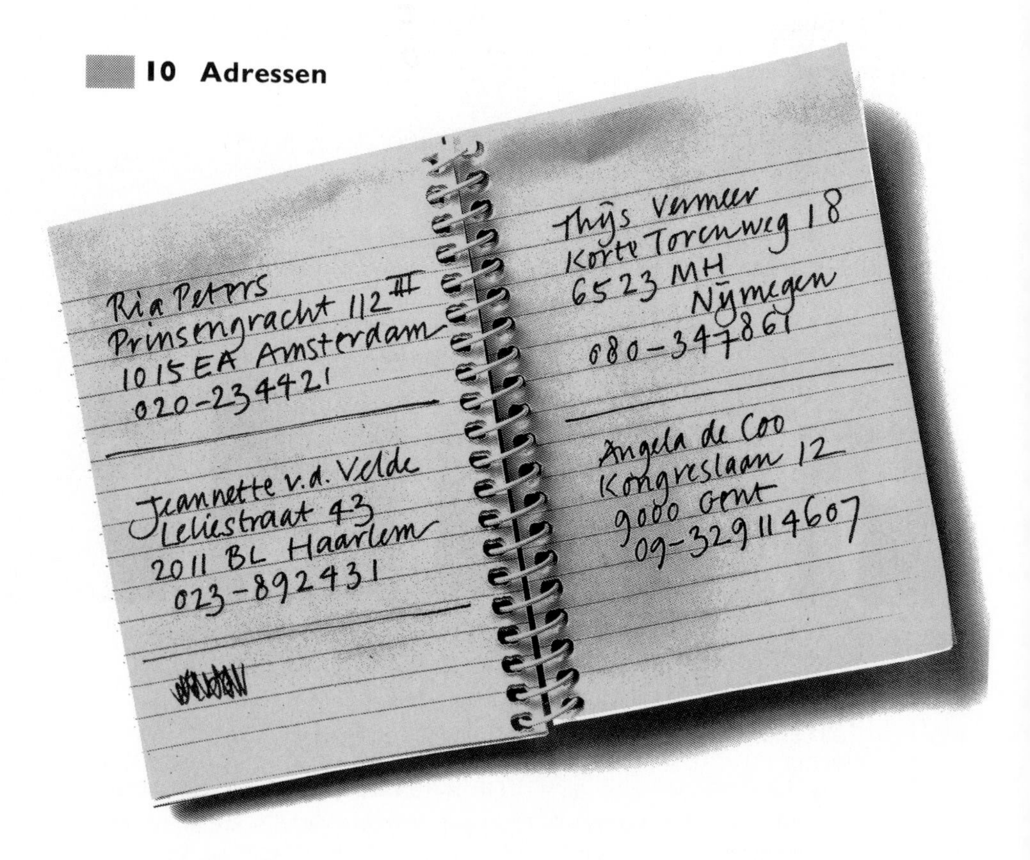

E ▒ II Een formulier

Een invulformulier
(in blokletters invullen)

* in elk vakje niet meer dan een cijfer of blokletter invullen
** doorhalen wat niet van toepassing is
*** aankruisen wat van toepassing is

1. ACHTERNAAM* (voor gehuwde vrouwen meisjesnaam)	D E _ G R O O T
2. VOORNAMEN voluit	RIA
3. STRAAT BORDINEWEG	HUISNUMMER 86
POSTCODE EN WOONPLAATS*	postcode 8931AT LEEUWARDEN
TELEFOONNUMMER netnummer 058	abonneenummer 882467
4. GEBOORTEDATUM	dag 11 maand 03 jaar 63
5. GEBOORTEPLAATS	HARLINGEN
GEBOORTELAND	NEDERLAND
6. NATIONALITEIT	NEDERLANDSE
7. BURGERLIJKE STAAT**	ongehuwd/gehuwd/gescheiden/weduwe/weduwnaar/samenwonend
8. GESLACHT**	m/v
9. BEROEP	zonder beroep / mijn beroep is LERARES
10. GIRO/BANKREKENING*	4 3 3 0 8 2 6 5 7
11. KENTEKEN VAN DE AUTO (als u geen auto heeft, deze vraag overslaan)	10 – VR – 98

Uit: Dick Verwey en Ieke Witteveen, *Formulierenboek*. N.B.L.C., Den Haag.

F

de achternaam
het adres
het alfabet
de bar
best (< goed)
de buurman
het café
even
het feest
de geboortedatum
heten
hoe
ja
de kapper
kennismaken
komen
kunnen
het land
de les
het loket
de mevrouw
mogen
de naam
nee
nog
het nummer
ook
de postcode
prettig
de receptie
spellen
de straat
de student
de telefoon
de voornaam
zich voorstellen
de vriend
de vriendin
waar
waarvandaaan
werken
werkloos
wonen
de woonplaats
zijn

2 Hoe gaat het ermee?

A 1 In het park

Meneer Klein	Goedemorgen, mevrouw Van Dale. Hoe gaat het met u?
Mevrouw Van Dale	Dag meneer Klein. Goed, en met u?
Meneer Klein	Uitstekend, dank u.

2 Op het werk

Meneer Vandenputte	Goedemiddag, mevrouw Vandijke.
Mevrouw Vandijke	Goedemiddag, meneer Vandenputte.
Meneer Vandenputte	Hoe maakt u het?
Mevrouw Vandijke	Goed, dank u. En u?
Meneer Vandenputte	Uitstekend, dank u.

3 Op straat

Meneer Potter Dag Edwin.
Edwin Dag meneer Potter. Hoe gaat het met u?
Meneer Potter Goed, en met jou?
Edwin Ook goed, dank u.

4 Op school

Paul Hallo John.
Hoe gaat het ermee?
John O, lekker Paul.
Hoe is het met jou?
Paul Nou, het gaat wel.

Groeten en teruggroeten

formeel/informeel:

Goedemorgen.	— Goedemorgen, Mariska.
Goedemiddag.	— Dag Bart.
Goedenavond.	— Goedenavond, mevrouw Vandijke.
	— Goedenavond, meneer Vandenputte.
Dag.	— Dag Edwin.
	— Dag meneer Potter.

informeel:

Hallo.	— Hallo John.
	— Dag Paul.

2 ***Vragen hoe het met iemand gaat en reactie***

formeel/informeel:
Hoe gaat/is het met je/jou/u?
Hoe gaat/is het ermee?

Goed.
Goed, dank u/dank je.
Goed, en met u/jou?
Uitstekend, dank u/dank je.
Het gaat wel.

— Hoe gaat het met u, mevrouw Van Dale?
— Goed, en met jou, Bart?

— Dag Edwin, hoe is het ermee?
— O, het gaat wel.

formeel:
Hoe maakt u het?

— Goedemorgen, meneer Zwart, hoe maakt u het?
— Goed, dank u. En u?

B o-o 5 In de stad

Hassan	Ik heb trek in een broodje.
Mirjam	Ik ook.
Hassan	Zullen we even een broodje kopen?
Mirjam	Ja, goed.

6 Op de markt

Wilma	Zullen we ergens koffie drinken?
Ellen	Goed, maar waar?
Wilma	Laten we naar café Bos gaan.
Ellen	Okee.

7 In de kantine

David	Ga je mee naar de film?
Paula	Ja, graag. Wanneer?
David	Zaterdag.
Paula	Okee.
David	Zal ik kaartjes bestellen?
Paula	Graag.

8 Bij Wendy

Oscar	Ik ben morgen jarig.
	Heb je zin om te komen?
Wendy	Ja, leuk.
	Wanneer? 's Morgens, 's middags, 's avonds?
Oscar	's Avonds.
Wendy	Nodig je veel mensen uit?
Oscar	Ja, heel veel.
Wendy	Tot morgenavond dan.
Oscar	Tot ziens.

Vragen iets samen te doen

Zullen we ...?	— Zullen we ergens koffie drinken? — Ja, goed.
Hebt u/Heb je zin om ...?	— Hebt u zin om te komen? — Ja, leuk.
Gaat u/Ga je ... mee ...?	— Ga je mee naar de film? — Wanneer?

Positief reageren

(Ja,) goed.	— Zullen we ergens koffie drinken? — Goed, maar waar?
(Ja,) graag.	— Ga je mee naar de film? — Ja, graag.
(Ja,) leuk.	— Heb je zin om te komen? — Ja, leuk.
Okee.	— Laten we naar café Bos gaan. — Okee.

Afscheid nemen

Tot ziens.
Tot morgen/vanavond/volgende week, enzovoort.
Dag.

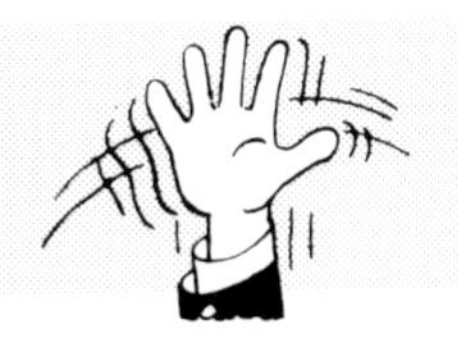

De dag, de nacht, enzovoort

06.00 uur — 18.00 uur	de dag	vandaag	overdag
06.00 uur — 12.00 uur	de morgen/ de ochtend	vanmorgen/ vanochtend	's morgens/ 's ochtends
12.00 uur — 18.00 uur	de middag	vanmiddag	's middags
18.00 uur — 24.00 uur	de avond	vanavond	's avonds
24.00 uur — 06.00 uur	de nacht	vannacht	's nachts

Het werkwoord: gaan, hebben, zullen

gaan				
1	Ik	**ga**		naar de film.
2	U	**gaat**		niet mee, hè?
	Je	**gaat**		naar Wendy, hè?
		Ga	je	naar Wendy?
3	Hij	**gaat**		naar café Bos.
	Ze	**gaat**		met David mee.
1	We	**gaan**		naar huis.
hebben				
1	Ik	**heb**		trek in koffie.
2	U	**hebt**		de kaartjes, hè?
	Je	**hebt**		trek in een broodje, hè?
		Heb	je	trek in een broodje?
3	Hij	**heeft**		zin om naar de film te gaan.
	Ze	**heeft**		zin om te komen.
1	We	**hebben**		zin om morgenavond naar Lucy te gaan.
zullen				
1	Ik	**zal**		kaartjes bestellen.
2	U	**zal/zult**		Erik morgen wel zien.
	Je	**zal/zult**		wel geen zin hebben.
		Zal/Zul	je	kaartjes kopen?
3	Hij	**zal**		wel zien.
	Ze	**zal**		kaartjes bestellen.
1	We	**zullen**		volgende week Jos en Ed uitnodigen.

9 Bij Stephan en Lucy

Stephan	Wat zullen we in het weekend doen?
Lucy	Ik weet het niet.
Stephan	Zullen we naar Groningen gaan?
Lucy	Nee, laten we maar thuisblijven.

10 Bij Hélène en Jacques

Hélène	Zullen we vanavond uitgaan?
Jacques	Nou, misschien.
Hélène	Naar een concert?
Jacques	Ik heb geen zin om naar een concert te gaan.
Hélène	Wat wil je dan?
Jacques	Laten we naar Lucy en Stephan gaan.
Hélène	Goed.

11 Bij Maria

Maria	Erik, zullen we vanmiddag naar de markt gaan?
Erik	Nee, ik kan vanmiddag niet.
Maria	En morgenochtend?
Erik	Nee, dan kan ik ook niet.
Maria	Volgende week misschien?
Erik	Ja, misschien.
	Ik zie wel.

Negatief reageren

(Nee), ik kan ... niet.
(Nee), ik heb geen zin om ...

— Zullen we vanmiddag naar de markt gaan?
— Nee, ik kan vanmiddag niet.

— Zullen we vanavond naar een concert gaan?
— Ik heb geen zin om naar een concert te gaan.

Weifelen

Ik weet het niet.

— Wat zullen we vanavond doen?
— Ik weet het niet.

Misschien.
We zien wel./Ik zie wel.

— Ga je morgen ook naar Maria?
— Misschien. Ik zie wel.

destanders krijgen ¶ *uit de school klappen* geheimen doorvertellen.
'**schoolbank** ⟨de~; -en⟩ bank of stoel met een tafeltje eraan vast, gebruikt op scholen • *ik ken hem nog van de schoolbanken* van vroeger, toen we samen op school zaten.
'**schoolblijven** ⟨ww.⟩ voor straf na de lessen op school blijven ⇒ *nablijven*.
'**schoolbord** ⟨het~; -en⟩ zwart of groen geverfd bord in een schoollokaal waarop je met krijt schrijft.
'**schoolgeld** ⟨het~⟩ geld dat je ouders moeten betalen om jou naar school te laten gaan • *ik zou m'n schoolgeld maar terughalen!* (uitdr.) (dit zeg je tegen iemand die niet veel weet).
'**schooljaar** ⟨het~; -jaren⟩ periode van augustus tot augustus ⇒ *leerjaar* • *het schooljaar 1987-1988.*
'**schoolmeester** ⟨de~ (m.); -s⟩ **1** iemand die les geeft op een basisschool ⇒ *onderwijzer, meester* **2** iemand die alles beter denkt te weten en die anderen steeds terechtwijst ⇒ *frik*.

Uit: Van Dale, *Basiswoordenboek van de Nederlandse taal 1987.*

Het lidwoord: de, het, een, ϕ

bepaald: *de* en *het*
De film heet 'Ghandi'.
De Albert Cuypmarkt is in Amsterdam.

Het weekend van 9 en 10 april ga ik naar Parijs.
Het concert van Leonard Bernstein is vanavond.

onbepaald: *een, ϕ*
We gaan een weekend naar Parijs.
Jacques heeft geen zin om naar een concert te gaan.

Heb je trek in een broodje?
Zal ik kaartjes bestellen?

Ontkenning: *niet*

Let op de plaats van *niet*

1 *Na het werkwoord.*

Ik	werk	niet.	
Je	komt	niet.	

2 *Na: morgen, vandaag, enzovoort.*

Hij	kan	morgen	niet.
Mevrouw Zwart	werkt	vandaag	niet.

Vraagwoorden

hoe	— Hoe heet je? — Monique.	— Hoe gaat het? — Goed.
waar	— Waar woon je? — In Utrecht.	— Waar kom je vandaan? — Uit Turkije.
wat	— Wat is je naam? — René.	— Wat zullen we doen? — Laten we naar de film gaan.
wie	— Wie is dat? — Dat is Wim de Bie.	— Wie zijn dat? — Mies, Wil en Tiny
wanneer	— Wanneer ga je naar Parijs? — Volgende week.	— Wanneer gaan we naar de film? — Zaterdag.
welk(e)	— Welke dag is het vandaag? — Donderdag.	— Op welk nummer woon je? — Op nummer 186.

D 12 Dagen, maanden, seizoenen

dagen

maandag
dinsdag
woensdag
donderdag
vrijdag
zaterdag
zondag

maanden

januari
februari
maart
april
mei
juni
juli
augustus
september
oktober
november
december

Er zijn vier ***seizoenen*** in Nederland:

lente

zomer

herfst

winter

F

de avond
— 's avonds
bestellen
het broodje
het concert
de dag
dan
danken
doen
drinken
ergens
de film
gaan
goed
graag
hebben
heel
de herfst
het huis
jarig
het kaartje
de kantine
de koffie
kopen
laten
lekker
de lente
leuk
de maand
maken
— hoe maakt u het?
de markt
meegaan
de meneer
de mens
de middag
— 's middags
misschien
de morgen
morgen
— 's morgens
morgenavond
morgenochtend
de nacht
— 's nachts
niet
de ochtend
— 's ochtends
overdag
het park
de school
het seizoen
de stad
thuisblijven
de trek
— trek hebben in
uitgaan
uitnodigen
uitstekend
het uur
vanavond
vandaag
vanmiddag
vanmorgen
vannacht
vanochtend
veel
volgend
wanneer
de week
het weekend
wel
het werk
weten
willen
de winter
zien
— tot ziens
de zin
— zin hebben (om ... te ...)
de zomer
zullen

3 Ja, lekker!

A 1 Thuis

Joop	Wil je iets drinken?
Mariska	Ja, lekker.
Joop	Wil je koffie of thee?
Mariska	Ik heb liever een kopje koffie.
Joop	Met melk en suiker?
Mariska	Alsjeblieft.

2 In een coffeeshop

Ober	Meneer, mevrouw?
Juan	Voor mij een tonic, graag.
Ober	Met ijs en citroen?
Juan	Alstublieft.
Ober	En u?
Lies	Hebt u appelsap?
Ober	Natuurlijk, mevrouw.
Lies	Mag ik dan een appelsap van u?
Ober	Een tonic en een appelsap.

o-o 3 In een café

Carla	Mogen we bestellen?
Ober	Ik kom zo bij u, mevrouw.
Carla	Wat nemen jullie?
Tineke	Een spa.
Carla	En jij?
Sjef	Ik neem een broodje.
	Of nee, liever een tosti.
Carla	Heb je honger?
Sjef	Ja, jij niet?
Carla	Nee, ik heb dorst.
	Geef mij maar een pilsje.
Ober	Zegt u het maar.
Carla	Een spa, een tosti en een pils, alstublieft.
Ober	Tosti ham/kaas?
Sjef	Alstublieft.

Naar wensen vragen

Wilt u/Wil je iets ...?	— Wil je iets drinken? — Ja, lekker.
Wat wilt u/wil je ...?	— Wat wil je, koffie of thee? — Ik heb liever een kopje koffie.
En u/jij?	— En u? — Hebt u appelsap?
Meneer/Mevrouw?	— Meneer, mevrouw? — Voor mij een tonic, graag.
Zegt u het maar.	— Zegt u het maar. — Een spa, een tosti en een pils, alstublieft.

Bestellen

..., graag.	— Meneer, mevrouw? — Voor mij een tonic, graag.
..., alstublieft/alsjeblieft.	— Zegt u het maar. — Een spa, een tosti en een pils alstublieft.
Hebt u/Heb je ...?	— En u? — Hebt u appelsap?
Mag ik ...?	— Mevrouw? — Mag ik een appelsap van u?

Woordvolgorde: de enkelvoudige zin

Basisstructuur

Eerste plaats	*Finiet werkwoord*	*Onderwerp*	*Rest*	*Infiniet werkwoord*
	Wil	je	iets	drinken?
	Kunnen	we		bestellen?
Wat	willen	jullie		drinken?

B 4 In een restaurant

Max	Goedenavond, kunnen we hier eten?
Ober	Hebt u gereserveerd?
Max	Nee.
Ober	Dan moet u even wachten.
Max	Wat doen we?
Willy	Het maakt mij niet uit. Zeggen jullie het maar.
Daan	Zullen we wachten?
Olga	Ja, goed.
Ober	Gaat u maar even aan de bar zitten.

o-o 5 Aan de bar

Ober	Wilt u misschien iets drinken?
Olga	Zullen we een fles wijn nemen?
Willy	Ja, lekker.
Ober	Rood of wit?
Olga	Eh, rood, graag.
	Max, rood, hè?
Max	O, dat geeft niet, hoor.
Olga	Ja, doet u maar rood.
Daan	Mogen we ook de kaart?
Ober	Alstublieft, de wijn en de menukaart.
Daan	Dank u.

Voorkeur hebben

Ik ... liever ...	— Wil je koffie of thee? — Ik heb liever thee.
Geef mij maar ...	— Heb je honger? — Nee, ik heb dorst. Geef mij maar een pilsje.

Geen voorkeur hebben

Het maakt (mij) niet uit.	— Wat doen we? — Het maakt mij niet uit.
Het geeft niet.	— Max, wil je rood of wit? — O, dat geeft niet.

C 6 Een menu kiezen

Max Proost!
Olga, Willy, Daan Ja, proost!
Willy Wat nemen jullie?
Daan Ik weet het niet.
Hebben ze hier een dagschotel?
Olga Even vragen.
Hebt u een dagschotel?
Ober Ja, vis met friet en sla.
Max Wat voor vis?
Ober Kabeljauw, heerlijk, meneer.
Max Zullen we dat doen?
Ober Vier dagschotels?

7 Aan tafel

Daan Wat vinden jullie van de wijn?
Max Zoet, vind je niet?
Daan Ja, ik vind hem te zoet.
Willy O, ik houd wel van zoet.
Olga Daar komt het eten aan.
Ober Alstublieft, vier dagschotels.
Olga Dank u wel.
Ober Eet u smakelijk.
Willy, Olga, Daan Bedankt.

Positief beoordelen

(Het/Dat is) goed/lekker/leuk/heerlijk, enzovoort.
Ik vind ... goed/lekker/leuk/heerlijk, enzovoort.
Ik houd van ...

— Kabeljauw met friet en sla, is dat lekker?
— Dat is heerlijk.

— Wat vind je van de wijn?
— Ik vind de wijn lekker.

— De wijn is zoet, hè?
— Nou, ik houd wel van zoet.

Negatief beoordelen

(Het/Dat is) niet (zo) goed/lekker/leuk, enzovoort.
Ik vind ... niet (zo) goed/lekker/leuk, enzovoort.
Ik vind ... te ...
Ik houd niet van ...

— Hoe vind je het eten?
— Niet zo lekker.

— Smaakt de kabeljauw?
— Nee, ik vind de kabeljauw niet zo lekker.

— Wat vind je van de wijn?
— Ik vind de wijn te zoet.

— Drink je veel thee?
— Nee, ik houd niet van thee.

Bedanken

Dank u/je.	— Alstublieft, de wijn en het menu. — Dank u.
Dank u/je wel.	— Alstublieft, vier dagschotels. — Dank u wel.
Bedankt.	— Eet u smakelijk. — Bedankt.

Het persoonlijk voornaamwoord: we/wij, u, jullie, ze/zij

Meervoud

1 we contrast: **wij**	— Zullen we een fles wijn nemen? — Ja, lekker.
2 formeel: **u**	— We wachten even. — Goed, gaat u maar even aan de bar zitten.
informeel: **jullie**	— Hebben jullie geen honger? — Nee, wij niet.
3 ze	— Hebben ze hier een dagschotel? — Even vragen.
contrast: **zij**	— Drinken jullie koffie? — Nee, wij drinken water, zij koffie.

Het werkwoord: meervoud

	eten			*drinken*		
1	We/Wij	**eten**	friet.	We/Wij	**drinken**	koffie.
2	U	**eet**	hier lekker.	U	**drinkt**	wijn.
	Jullie	**eten**	veel.	Jullie	**drinken**	thee.
3	Ze/Zij	**eten**	kabeljauw.	Ze/Zij	**drinken**	niet.

8 Smaken verschillen

Smaken verschillen. Jan drinkt wel acht glazen bier per dag, Toos houdt niet van alcohol. Zij drinkt graag thee met citroen. De lievelingsdrank van Rita is tonic, maar Carla vindt dat te bitter. Zij neemt liever een glas rode wijn. 'Veel te zoet', zegt de man van Carla, 'geef mij maar jenever. 's Avonds neem ik twee borrels, dan slaap ik lekker.' En de kinderen? 'Die zijn nog te jong voor alcohol. Zij nemen iets fris: spa, cola, appelsap of zoiets.'
Wim eet 's morgens graag een boterham met jam of hagelslag. Maar Annie houdt meer van zuur en zout. Zij heeft liever kaas of vlees op brood. En als Wim een lekker ijsje koopt, loopt Annie naar de visboer voor een haring. Smaken verschillen.

Het bijvoeglijk naamwoord: lekker — lekkere

***Rood* en *lekker* zijn bijvoeglijke naamwoorden.**

— Zijn die wijnen ook rood?
— Ja, mevrouw.

— Is het ijsje lekker?
— Ja, heerlijk.

Let op de vorm van het bijvoeglijk naamwoord vóór het zelfstandig naamwoord:

	de-woorden	*het-woorden*
enkelvoud	de rode wijn	het lekkere ijsje
	een rode wijn	een lekker ijsje
meervoud	de rode wijnen	de lekkere ijsjes
	rode wijnen	lekkere ijsjes

Let op: welke wijn? maar: welk ijsje?

Carla neemt een glas rode wijn.
Wim koopt een lekker ijsje.

Ontkenning: niet

Let op de plaats van *niet*.

1 *Vóór een bijvoeglijk naamwoord:*

Het eten is niet lekker.
De wijn is niet zoet.
Ik vind de film niet leuk.

2 *Vóór een voorzetsel:*

Toos houdt niet van alcohol.
Ik houd niet van vis.

9 Menu Pizzeria La Capanna

U BELT EN WIJ BEZORGEN

020 - 163070

PIZZE

CALZONE Dubbelgevouwen pizza, tomaten, kaas, ham, salami, champignons en uien	ƒ 13,50
VEGETARIANA Tomaten, kaas, champignons, paprika, artisjokken en uien	,, 12,00
MARGERITHA Tomaten en kaas	,, 7,50
NAPOLITANA Tomaten, kaas en ansjovis	,, 11,00
BOROMEA Tomaten, kaas en ham	,, 10,00
SICILIANA Tomaten, kaas, ansjovis en olijven	,, 12,00
VENEZIANA (specialiteit) Tomaten, kaas, tonijn, ansjovis, calamare en mosselen	,, 16,00
QUATTRO STAGIONI Tomaten, kaas, champignons, ham salami, uien en artisjokken	,, 12,50
ITALIA Tomaten, kaas, ham, salami, paprika, champignons, artisjokken en ei	,, 14,00
PEPERONI Tomaten, kaas en paprika	,, 10,00
PRIMAVERA Tomaten, kaas en artisjokken	,, 12,00
TONNO Tomaten, kaas en tonijn	,, 12,00
SALAMI Tomaten, kaas en salami	,, 10,00

PASTE

SPAGHETTI ALLA CARBONARA Ham, slagroom en ei	ƒ 12,50
SPAGHETTI NAPOLITANA Tomatensaus	,, 8,00
SPAGHETTI BOLOGNA Vlees in tomatensaus	,, 10,00
SPAGHETTI ROMA (specialiteit) Kalfsvlees in tomatensaus en champignons	,, 12,50
SPAGHETTI ITALIA (specialiteit) Uien, paprika, champignons, pittige saus en slagroom	,, 12,50
SPAGHETTI AGLIO OLIO Knoflook in olie	,, 9,00
LASAGNA (specialiteit) Plakken deeg gevuld met salami, ham, bolognesesaus, baciamella en ei	,, 12,00
CANNELONI Deegrollen gevuld met vlees in tomatensaus	,, 12,00
TORTELLINI ALLA PANNA Slagroomsaus	,, 12,00
TORTELLINI BOLOGNESE Vlees in tomatensaus	,, 12,00
MACARONI 4 soorten Italiaanse kaassaus	,, 12,00

BEZORGEN VAN
16.00 TOT 23.00 UUR

F

aankomen
de alcohol
alsjeblieft
alstublieft
de appelsap
bedanken
het bier
bitter
de borrel
de boterham
het brood
de citroen
de coffeeshop
de cola
daar
de dagschotel
de dorst
eten
het eten
de fles
de friet
fris
geven
het glas
de hagelslag
de ham
de haring
heerlijk
hier
de honger
houden van
het ijs
het ijsje
de jam
de jenever
jong
de kaart
de kaas
de kabeljauw
kiezen
het kind
het kopje
de lievelingsdrank
liever (< graag)
lopen
de man
meer (< veel)
de melk
het menu
de menukaart
moeten
natuurlijk
nemen
de ober
de pils
het pilsje
reserveren
het restaurant
rood
de sla
slapen
de smaak
smakelijk
smaken
de spa
de suiker
de tafel
de thee
thuis
de tonic
de tosti
uitmaken
— het maakt niet uit
verschillen
vinden
de vis
de visboer
het vlees
vragen
wachten
het water
de wijn
wit
zeggen
zitten
zo
zoet
zout
zuur

4 Wat bedoelt u?

A 1 Met de taxi

Mieke Smeets	Ik wil graag naar de Van Goghstraat.
Taxichauffeur	Pardon?
Mieke Smeets	De Van Goghstraat.
Taxichauffeur	In welke buurt is dat?
Mieke Smeets	In de Schilderswijk.
Taxichauffeur	Welke wijk?
Mieke Smeets	De Schilderswijk.
Taxichauffeur	O ja, stapt u maar in.

2 Onderweg in de taxi

Taxichauffeur	Waar moet u zijn in de Van Goghstraat?
Mieke Smeets	Wat zegt u?
Taxichauffeur	Op welk nummer moet u zijn in de Van Goghstraat?
Mieke Smeets	O, op 43.
Taxichauffeur	Is dat bij de bioscoop?
Mieke Smeets	Ik versta u niet.
Taxichauffeur	Nummer 43, is dat bij de bioscoop?
Mieke Smeets	O, Cinematic bedoelt u. Ja, dat is naast de bioscoop.

Zeggen dat je iemand niet verstaat

Pardon/Sorry?	— Ik wil graag naar de Van Goghstraat. — Pardon?
Wat zegt u?	— Waar moet u zijn in de Van Goghstraat? — Wat zegt u?
Ik versta u niet.	— Is dat bij de bioscoop? — Ik versta u niet.

B o-o 3 In een coffeeshop

Nils	We willen graag iets eten.
Serveerster	Dat kan, meneer. We hebben soep: tomatensoep, groentesoep, champignonsoep.
Nils	Niet zo snel, alstublieft.
Serveerster	En we hebben broodjes: ham, kaas, rosbief, lever, salami, ei en croquet.
Eva	Sorry, maar kunt u wat langzamer praten?
Serveerster	En verder tosti's en uitsmijters.
Agneta	Een uitsmijter? Wat is dat?
Serveerster	Een uitsmijter is een boterham met een gebakken ei en ham.
Nils	Kunt u nog een keer zeggen welke broodjes u hebt?
Serveerster	Kaas, ham, rosbief, lever, salami, ei en croquet.
Eva	Ik neem een uitsmijter.
Agneta	Ja, ik ook.
Nils	Ja, voor mij ook, graag.
Serveerster	Drie uitsmijters.
Agneta	En hebt u ook een asbak voor ons?
Serveerster	Ja, een ogenblik.

Zeggen dat iemand te snel praat

Niet zo snel, alstublieft/alsjeblieft.
Kunt u/Kun je wat langzamer praten?
Kunt u/Kun je dat nog een keer zeggen?

— We hebben soep: tomatensoep, groentesoep, champignonsoep.
— Niet zo snel, alstublieft.

— En we hebben broodjes: ham,kaas, rosbief, lever, salami, ei en croquet.
— Sorry, maar kunt u wat langzamer praten?

— Kunt u nog een keer zeggen welke broodjes u hebt?
— Ham, kaas, rosbief, lever, salami, ei en croquet.

Het persoonlijk voornaamwoord: alle vormen

	Zonder accent			**Met accent**	
	onderwerp	*niet-onderwerp*		*onderwerp*	*niet-onderwerp*
1	ik	**me**	1	ik	**mij**
2	u	**u**	2	u	**u**
	je	**je**		jij	**jou**
3	hij	**hem** [əm]	3	hij	**hem**
	ze	**haar** [ər/dər]		zij	**haar**
	het	**het** [ət]			
1	we	**ons**	1	wij	**ons**
2	u	**u**	2	u	**u**
	jullie	**jullie**		jullie	**jullie**
3	ze	**ze**	3	zij	**hen/hun**

Gebruik van het persoonlijk voornaamwoord als niet-onderwerp

a *als lijdend voorwerp of als meewerkend voorwerp*

— Verstaat u me?
— Nee, ik versta u niet.

— Hoe vind je het?
— Ik vind het niet lekker.

— Wil je koffie of thee?
— Het maakt me niet uit.

b *na een voorzetsel*

— Hoe gaat het met je?
— Goed, en met jou?

— Ik neem een uitsmijter.
— Ja, voor mij ook, graag.

— Hebt u een asbak voor ons?
— Ja meneer, een ogenblik.

C 4 Aan de kassa van een theater

Bob Hafkamp	Ik wil graag twee kaarten voor Het Nederlands Danstheater.
Caissière	Voor welke voorstelling?
Bob Hafkamp	Voor donderdagavond.
Caissière	Kunt u wat harder praten?
Bob Hafkamp	Donderdagavond.
Caissière	Donderdag is alles uitverkocht, meneer.
Bob Hafkamp	En op andere dagen?
Caissière	Ik heb nog wel een paar plaatsen voor u op 27, 28 en 30 oktober of op 3 en 4 november.
Bob Hafkamp	Kunt u dat nog een keer zeggen?
Caissière	Op 27, 28 en 30 oktober of op 3 en 4 november.
Bob Hafkamp	Hm, wanneer hebt u de beste plaatsen?
Caissière	Op 28 oktober.
Bob Hafkamp	Wat kosten die?
Caissière	Dertig gulden per persoon.
Bob Hafkamp	Wat duur!
Caissière	Ja, de beste plaatsen zijn natuurlijk ook het duurst.
Bob Hafkamp	Hebt u ze niet een beetje goedkoper?
Caissière	Dan krijgt u de slechtste plaatsen, voor vijftien gulden.
Bob Hafkamp	Nee, doet u maar twee van dertig.
Caissière	Dat wordt dan zestig gulden.

Het zelfstandig naamwoord: meervoud

Zelfstandige naamwoorden krijgen in het meervoud *-en* of *-s*

1 -s
Een woord krijgt in het meervoud een **-s** als het woord twee of meer lettergrepen heeft en eindigt op -el, -em, -en, -er, -je, of op -a, -i, -o, -u, -y.

enkelvoud	*meervoud*
de appe**l**	de appe**ls**
de guld**en**	de guld**ens**
de ob**er**	de ob**ers**
het kop**je**	de kop**jes**
de tost**i**	de tost**i's**
het menu	de men**u's**

2 -en
Andere woorden krijgen in het meervoud **-en**.

enkelvoud	*meervoud*
de voorstelling	de voorstelling**en**
de straat	de strat**en**
de citroen	de citroen**en**
de pen	de pen**nen**

De vormen van het meervoud staan in het woordenboek.

'**bladvulling** ⟨de~ (v.); -en⟩ een minder belangrijk stuk tekst of een tekening om een bladzijde op te vullen.
'**bladwijzer** ⟨de~ (m.); -s⟩ strook van papier, leer enz. die je in een boek kunt leggen op de plaats waar je gebleven bent ⇒ *boekelegger*.
'**bladzijde**, '**bladzij** ⟨de~; -n⟩ **1** één kant van een blad uit een boek, tijdschrift enz. ⇒ *pagina* • *sla allemaal je boek open op bladzijde veertien* **2** ieder blad uit een boek, tijdschrift enz..
'**blaffen** ⟨blafte, heeft geblaft⟩ **1** *(van honden)* 'waf waf' roepen **2** hard hoesten omdat je ziek of verkouden bent.
'**blaffer** ⟨de~ (m.); -s⟩ (populair) pistool.
'**blaken** ⟨blaakte, heeft geblaakt⟩ **1** gloeien, hitte uitstralen • *blakende vlammen* **2** *(van mensen) blaken van ijver, enthousiasme enz.* heel erg ijverig, enthousiast enz. zijn.
'**blaker** ⟨de~ (m.); -s⟩ ouderwetse kandelaar op een soort schoteltje met een oor eraan.
'**blakeren** ⟨blakerde, heeft geblakerd⟩ *iets blakeren* het ver-

Uit: Van Dale, *Basiswoordenboek van de Nederlandse taal.*

Vergelijking: hard — harder — hardst

1 Vergrotende trap: + -(d)er

hard	– harder	Kunt u wat harder praten?
langzaam	– langzamer	Kunt u wat langzamer praten?
duur	– duurder	Welke kaarten zijn duurder?

2 Overtreffende trap: + -st(e)

hard	– hardst	Hij praat het hardst.
duur	– duurst	Ze kopen de duurste plaatsen.

3 Onregelmatige vormen

goed	– beter	– best	De beste plaatsen zijn het duurst.
graag	– liever	– liefst	Ga je mee of blijf je liever thuis?
veel	– meer	– meest	Heeft u nog meer plaatsen?
weinig	– minder	– minst	De slechtste plaatsen kosten het minst.

D 5 Op straat

Colporteur	Dag mevrouw, mag ik u iets vragen?
Helga de Kam	Natuurlijk.
Colporteur	Leest u veel?
Helga de Kam	Nou, veel, wat is veel?
Colporteur	Leest u meer dan vier boeken per jaar?
Helga de Kam	Ja, maar wat bedoelt u?
Colporteur	Ik heb een interessante aanbieding voor u van de E.N.B.
Helga de Kam	Wat betekent dat, E.N.B.?
Colporteur	De E.N.B. is de Eerste Nederlandse Boekenclub.
Colporteur	U kunt bij ons goedkoop boeken kopen.
Helga de Kam	Nee, dank u, ik heb geen belangstelling.
Colporteur	Een woordenboek kost bij ons geen vijftig gulden, maar vijfentwintig gulden.
Helga de Kam	Ja, maar ik heb geen belangstelling.
Colporteur	Een woordenboek voor de helft van de prijs! En het volledige werk van Mulisch voor maar honderd gulden.
Helga de Kam	Nee, echt niet. Ik heb geen interesse.
Colporteur	Als u nu lid wordt, mag u drie boeken voor een tientje uitzoeken.
Helga de Kam	Dank u, maar ik ben niet geïnteresseerd.

Vragen om uitleg

Wat bedoelt u/bedoel je?	— Leest u meer dan vier boeken per jaar? — Ja, maar wat bedoelt u?
Wat betekent dat?	— Ik heb een interessante aanbieding voor u van de E.N.B. — Wat betekent dat, E.N.B.?
Wat is dat?	— Verder hebben we tosti's en uitsmijters. — Een uitsmijter, wat is dat?

4 ***Geen belangstelling hebben***

Ik heb geen belangstelling.
Ik heb geen interesse.
Ik ben niet geïnteresseerd.

— U kunt bij ons goedkoop boeken kopen.
— Nee, dank u, ik heb geen belangstelling.

— Een woordenboek voor de helft van de prijs!
— Nee, ik heb geen interesse.

— Als u nu lid wordt, mag u drie boeken voor een tientje uitzoeken.
— Dank u, maar ik ben niet geïnteresseerd.

Ontkenning: geen

Ontkenning bij een onbepaald (*een*, ϕ) zelfstandig naamwoord: *geen*.

1 een — Heeft Anne een kaart voor het concert van Prince?
— Nee, ze heeft geen kaart voor Prince.

2 ϕ — Hebt u belangstelling voor de Boekenclub?
— Nee, dank u, ik heb geen belangstelling.

— Hebt u nog plaatsen voor donderdagavond?
— Nee meneer, voor donderdagavond heb ik geen plaatsen meer.

6 Vrije tijd

De mens krijgt meer vrije tijd. We werken minder en we krijgen meer vrije uren. Zo hebben we meer tijd voor hobbies. Voor de een betekent dat uitgaan: kunst kijken in een museum, naar de bioscoop, naar een concert of verre reizen maken. Andere mensen brengen hun vrije tijd het liefst met vrienden door. Of ze blijven thuis en luisteren naar muziek, werken in de tuin, lezen een boek of kijken televisie. Weer anderen zoeken hun ontspanning in een club of bij een vereniging. Ze gaan voetballen of tennissen of ze worden lid van een politieke partij als ze zich voor politiek interesseren.

E 7 Folder ECI

DEZE SCHITTERENDE KLOKRADIO STAAT VOOR U KLAAR

Ja, het is waar. Als u nu lid wordt van ECI krijgt u 3 boeken of platen voor f 10,– en bovendien geheel gratis een moderne klokradio.

Pak uw pen, vul de kaart in en stuur 'm op!

KENNISMAKINGSKAART

Ja, Ik wil voortaan uw boeken, platen, musicassettes en cd's kunnen kopen met grote korting. Ik ben nog geen lid van ECI en ben de laatste 2 jaar ook geen lid geweest. Voor het regelmatig toezenden van de kwartaalgids betaal ik een éénmalige bijdrage van f 5,–. Ik beloof één boek, plaat, musicassette of cd per kwartaal te bestellen en minstens 1 jaar lid te blijven. Ik zeg 3 maanden voor de afloop van een lidmaatschapsperiode op als ik mijn lidmaatschap niet wil verlengen. Als welkomstgeschenk kies ik de volgende 3 titels voor f 10,– + de helft van de verzendkosten (geen geld bijsluiten). Als ik deze kaart binnen 14 dagen instuur, ontvang ik bovendien helemaal gratis de klokradio. Als de boeken, platen of de gids mij niet bevallen, heb ik het recht alles binnen 7 dagen terug te sturen en **mijn aanmelding als lid ongedaan te maken.**

819.318.015

Nummer	Omschrijving
264	GRATIS KLOKRADIO

Dhr./Mevr./Mej. (Doorhalen wat niet van toepassing is).

Voorletters ______ Naam ______

Adres ______ Nr. ______

Postcode ______

Plaats ______

Tel.nr. ______ Geb.datum ______

Handtekening ______

(Indien minderjarig, dan handtekening van ouder of voogd.)

F

de aanbieding
ander
de appel
de asbak
bakken
bedoelen
het beetje
de belangstelling
betekenen
beter (< goed)
de bioscoop
het boek
de boekenclub
de buurt
de caissière
de champignonsoep
de club
de colporteur
de croquet
de donderdagavond
doorbrengen
duur
echt
het ei
goedkoop
de groentesoep
de gulden
hard
de helft
de hobby
instappen
interessant
de interesse
zich interesseren voor
het jaar
de kassa
de keer
kijken
kosten
krijgen
de kunst
langzaam
de lever
lezen
het lid
liefst (< graag)
luisteren
meest (< veel)
minder (< weinig)
minst (< weinig)
het museum
de muziek
het ogenblik
onderweg
de ontspanning
het paar
— een paar
de partij
de pen
de persoon
de plaats
de politiek
politiek
praten
de prijs
de reis
de rosbief
de salami
de serveerster
slecht
snel
de soep
de taxi
de taxichauffeur
de televisie
tennissen
het theater
het tientje
de tijd
de tomatensoep
de tuin
de uitsmijter
uitverkocht
uitzoeken
ver
verder
de vereniging
verstaan
voetballen
volledig
de voorstelling
vrij
weer
weergeven
weinig
de wijk
het woordenboek
worden
zoeken

5 Anders nog iets?

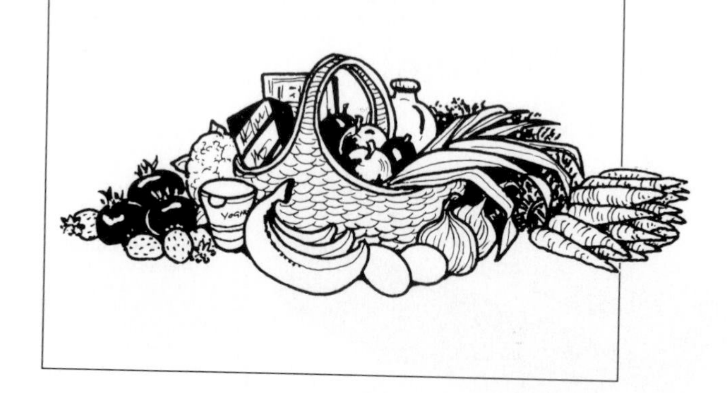

A 1 In een groentewinkel

Groenteboer	Wie is er aan de beurt?
Mevrouw Van Zanden	Ik. Mag ik een kilo druiven?
Groenteboer	Wilt u witte of blauwe?
Mevrouw Van Zanden	Hoe duur zijn ze?
Groenteboer	De witte zijn f 1,98 een kilo en de blauwe f 2,25.
Mevrouw Van Zanden	Zijn de witte zoet?
Groenteboer	Ja mevrouw, ze zijn heerlijk.
Mevrouw Van Zanden	Geeft u daar maar een kilo van.
Groenteboer	Anders nog iets?
Mevrouw Van Zanden	Twee paprika's.
Groenteboer	Rood, geel of groen?
Mevrouw Van Zanden	Rode graag.
Groenteboer	Dat was het?
Mevrouw Van Zanden	Ja.
Groenteboer	Dat is dan f 3,96 bij elkaar.
Mevrouw Van Zanden	Alstublieft.
Groenteboer	Vier, vijf en dat is tien.
Mevrouw Van Zanden	Dank u wel.

Naar wensen van klanten vragen en reactie

Wie is er aan de beurt? **Ik.**	— Wie is er aan de beurt? — Ik. Mag ik een kilo druiven?
Zegt u het maar. ***produkt***	— Zegt u het maar, mevrouw. — Een pond belegen kaas, alstublieft.
Anders nog iets? ***produkt***	— Anders nog iets? — Twee paprika's.
Anders nog iets? **Nee, dank u. (Anders niets.)**	— Anders nog iets? — Nee, dank u. Anders niets.
Dat was het? **(Ja), (dat was het).**	— Dat was het? — Ja. — Dat is dan f 3,96 bij elkaar.

Op de Albert Cuypmarkt in Amsterdam

Zeggen wat je wilt kopen

Mag ik *produkt*?	— Mag ik een kilo druiven? — Wilt u witte of blauwe?
Ik wil graag *produkt*.	— Ik wil graag drie citroenen. — Alstublieft.
***produkt* (graag).**	— Anders nog iets? — Twee paprika's; groene graag.

Spelling

1 f, s aan het eind van een woord of voor een medeklinker; v, z voor een klinker

een druif — een kilo druiven
een half pond — een halve kilo

Ik blijf thuis. — We blijven het weekend thuis.
Jij leest veel boeken. — Jullie lezen 's avonds altijd.

2 in het meervoud en bij het bijvoeglijk naamwoord dat eindigt op -e verdubbelt de medeklinker na [a], [o], [e], [u] of [i]

een fles — twee flessen
de boterham — drie boterhammen

Je wilt groente kopen. — We willen geen druiven.
Wat zeg je? — Ze zeggen niets.

Deze wijn is wit. — De witte wijn.

3 de klanken [oo], [ee] en [uu] worden in een open lettergreep (= eindigt op een klinker) geschreven als a, o, e, u en in een gesloten lettergreep als aa, oo, ee, uu

De paprika is rood. — Een rode paprika.
Die paprika's zijn geel. — Hebt u gele paprika's?

een tomaat — een pond tomaten
wijn is zuur — zure wijn

Hij vraagt niets. — Zij vragen de groenteboer iets.
Ze eet een boterham. — Wat eten jullie?

4 woorden die eindigen op a, o, u en i krijgen in het meervoud -a's, -o's, -u's en -i's

een tosti — twee tosti's
een paprika — twee paprika's
een menu — twee menu's

B 2 In een schoenenwinkel

Verkoopster	Goedemorgen.
Fernando Quiros	Goedemorgen mevrouw. Verkoopt u sportschoenen?
Verkoopster	Ja hoor. Welke maat heeft u?
Fernando Quiros	Maat 40.
Verkoopster	Ik zal even iets voor u halen. Hoe vindt u deze?
Fernando Quiros	O, wel aardig.
Verkoopster	En die?
Fernando Quiros	Die vind ik leuker.
Verkoopster	Trekt u ze maar even aan. Zitten ze goed?
Fernando Quiros	Ze zijn een beetje smal. Heeft u ze misschien een maat groter?
Verkoopster	Nee, ik heb ze niet groter.
Fernando Quiros	O, wat jammer.
Verkoopster	Ik heb hier nog wel een ander paar, maat 41. Probeert u die eens.
Fernando Quiros	Die zitten veel beter.
Verkoopster	En hoe vindt u ze?
Fernando Quiros	Ik vind ze niet zo mooi. Die andere zijn mooier. Maar deze zitten het lekkerst. Wat kosten ze eigenlijk?
Verkoopster	f 59,75.
Fernando Quiros	O, dat valt mee. Doet u deze maar.

3 In een warenhuis

Marije Imberechts	Meneer?
Verkoper	Zegt u het maar, mevrouw.
Marije Imberechts	Ik zoek een spijkerbroek. Waar kan ik die vinden?
Verkoper	Dan moet u op de eerste verdieping zijn.
Marije Imberechts	Ah, dank u wel.

Marije Imberechts	Mevrouw, is deze groot genoeg voor mij?
Verkoopster	Welke maat draagt u?
Marije Imberechts	Maat 42.
Verkoopster	Dan moet u deze hebben.
Marije Imberechts	Mag ik deze twee even passen?
Verkoopster	Ja, natuurlijk.

Verkoopster	Ze zijn allebei goed, hè?
Marije Imberechts	Nee, ik vind deze niet goed; hij is te lang. Ik neem die andere.

Positief beoordelen

Wel aardig.	— Hoe vindt u deze schoenen? — Wel aardig.
Het/Dat valt mee.	— Wat kosten ze? — f 59,75. — O, dat valt mee.

Negatief beoordelen

Te + *bijvoeglijk naamwoord*	— Zitten de schoenen goed? — Ze zijn een beetje te smal.
O, wat jammer.	— Hebt u ze niet groter? — Nee. — O, wat jammer.

Voorkeur hebben

Geeft/Doet u die/deze maar.	— Welke schoenen wilt u? — Doet u die maar.
Geeft/Doet u maar *produkt*	— Wilt u witte of blauwe druiven? — Geeft u maar een kilo blauwe.
Mooier, het mooist, enzovoort.	— Hoe vindt u ze? — Ik vind die andere mooier. Maar deze zitten het lekkerst.

Het aanwijzend voornaamwoord: deze, dit, die, dat.

	***de*-woorden**	***het*-woorden**
hier	**deze**	**dit**
	Probeert u deze broek eens.	Dit menu neem ik.
	Deze schoenen zijn te klein.	
daar	**die**	**dat**
	Die kaas is lekker.	Dat boek is goed.
	Die druiven zijn heerlijk.	

Let op: Deze schoenen zitten lekker, maar die (schoenen) niet.
Die broek is te kort; ik neem deze (broek).

4 Op de markt

Verkoper	Mevrouw, zegt u het maar.
Mevrouw Geel	Een stuk belegen kaas, alstublieft.
Verkoper	Hoe zwaar mag dat zijn?
Mevrouw Geel	Anderhalf pond.
Verkoper	Eh, ietsje meer, mevrouw.
Mevrouw Geel	O, dat geeft niet.
Verkoper	Anders nog iets?
Mevrouw Geel	Een pakje boter en tien eieren.
Verkoper	Grote of kleine?
Mevrouw Geel	Doet u maar grote. Hoeveel is het?
Verkoper	Dat is dan eh... f 22,35.
Mevrouw Geel	Kunt u f 100,- wisselen?
Verkoper	Hebt u het niet kleiner?
Mevrouw Geel	Nee, ik heb helemaal geen kleingeld.

5 Advertentie

Vragen naar de prijs en reactie

Wat kost/kosten ...? **Dat/Die is/Die zijn *prijs*.**	— Wat kost die spijkerbroek? — Die is f 89,50.
Hoeveel kost/kosten ...? ***Prijs*.**	— Hoeveel kost die spijkerbroek? — f 89,50.
Hoe duur is/zijn ...? **Dat/Die kost/Die kosten *prijs*.**	— Hoe duur zijn die sinaasappels? — Die kosten f 2,98.

Vragen naar het gewicht en reactie

Hoeveel weegt/wegen ...? **... weegt *gewicht*.**	— Hoeveel weegt dat stuk kaas? — Dat weegt een kilo.
Hoe zwaar is/zijn ...? **... (is) *gewicht*.**	— Hoe zwaar is dat stuk kaas? — Een kilo.

Geld

een stuiver (5 cent)	f 0,05
een dubbeltje (10 cent)	f 0,10
een kwartje (25 cent)	f 0,25
een gulden (100 cent)	f 1,00
een rijksdaalder	f 2,50
een vijfje	f 5,00

een vijfje/een briefje van vijf	f 5,00
een tientje/een briefje van tien	f 10,00
een briefje van 25	f 25,00
een briefje van 50	f 50,00
een briefje van 100	f 100,00
een briefje van 250	f 250,00
een briefje van 1000	f 1000,00

5 Gewicht

1000 gram = een kilo(gram) (1 kg)
500 gram = een pond/een halve kilo
100 gram = een ons
250 gram = een half pond
50 gram = een half ons

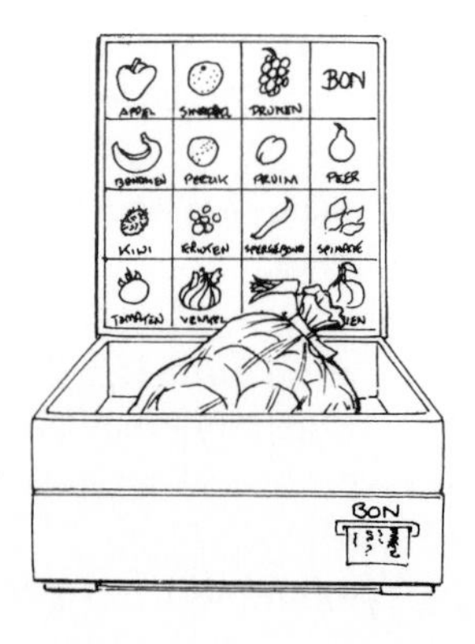

Uit: Theo van den Boogaard & Wim T. Schippers, *Sjef van Oekel draaft door*. Uitg. Oberon bv, Haarlem.

D 6 Het eten in Nederland

Het eten in Nederland is wel wat anders dan bij ons. Brood en aardappelen zijn de basis van veel maaltijden: als ontbijt eten de Nederlanders brood met thee of koffie, als lunch brood met melk (of koffie). Alleen 's avonds eten ze warm. Een warme maaltijd bestaat meestal uit aardappelen, groente en vlees of vis. Soms eet men rijst of macaroni, maar ook onze Spaghetti Bolognesa en de Pizza Marguerita komen op Nederlandse tafels voor!
En dan zijn er natuurlijk de toetjes: yoghurt, vla of fruit.
Ze drinken hier: koffie, koffie en nog eens koffie. Bij het ontbijt, om tien uur 's ochtends, bij de lunch, na de lunch, na het avondeten, in de pauze van een film of een concert, altijd en overal koffie. Koffie met suiker en melk, zwarte koffie, maar ook espresso en cappuccino. En het Nederlandse bier is heerlijk!

Enrico uit Italië

E 7 Winkelcentrum 'Torenzicht'

Spaar de stempels en doe uw voordeel!

De Speciaalzaken van het winkelcentrum „Torenzicht"

Oostrum versmarkt — **Aardappelen-groente-fruit**
Torenzicht 66 - telefoon 02153-86257 - Eemnes

Kapsalon Dekkers — **Dames en Heren kapper**
Torenzicht 66a - Telefoon 02153-15777 - Eemnes

Het Wapen van Eemnes — **Slijterij - Wijnkoperij**
Torenzicht 66b Telefoon 02153-86176 - Eemnes

E. Wassenaar & Zn. — **luxe brood en banket bakkerij**
Torenzicht 66d - Telefoon 02153-13436 - Eemnes

Slagerij van Hees — **Voor een goed stuk vlees**
Torenzicht 68 - Telefoon 02153-82115 - Eemnes

Bloemenhuis „Torenzicht" — **Planten en snijbloemen**
Torenzicht 68a - Telefoon 02153-82020 - Eemnes

Dik Trom — **Café-biljart**
Torenzicht 74 - Telefoon 02153-13279 - Eemnes

Kleurop — **Verf en hobbywinkel**
Torenzicht 66c - Eemnes

F

aantrekken
de aardappel
aardig
de advertentie
alleen
altijd
anders
het avondeten
de basis
belegen
bestaan uit
de beurt
— aan de beurt zijn
blauw
de boter
het briefje
de broek
de cappuccino
de cent
dragen
de druif
het dubbeltje
eens
eigenlijk
de espresso
het fruit
geel
genoeg
het gram
groen
de groente
de groenteboer
de groentewinkel
groot
halen
half
helemaal
jammer
de kilo
klein
het kleingeld
kort
het kwartje
lang
de lunch
de maaltijd
de maat
de macaroni
meestal
meevallen
mooi
de Nederlander
Nederlands
het ontbijt
overal
het pakje
de paprika
passen
de pauze
het pond
proberen
de rijksdaalder
de rijst
de schoen
de schoenenwinkel
de sinaasappel
smal
soms
de spijkerbroek
de sportschoen
de stuiver
het stuk
het toetje
de tomaat
de verdieping
de verkoopster
verkopen
de vla
voorkomen
het warenhuis
warm
wegen
wisselen
de yoghurt
zwaar
zwart

6 Hoe heet dat ook al weer?

A I De etalage van een kledingzaak

2 In de stomerij

Simon Vis	Dag, ik kom mijn broek halen.
Bediende	Hebt u de bon?
Simon Vis	Ja, alstublieft.
Bediende	Dank u wel. Nou, ik zie hem niet. Wanneer heeft u hem gebracht?
Simon Vis	Eens kijken ... eh ..., woensdag, denk ik.
Bediende	Hoe ziet uw broek eruit?
Simon Vis	Ja, eh ... hoe moet ik dat zeggen? Gewoon, zwart, met, met, met, met, hoe heet dat, met zo'n, eh ... met zo'n plooi.
Bediende	O, een bandplooi bedoelt u. Is dit uw broek?
Simon Vis	Nee, die is het niet.
Bediende	Deze dan misschien?
Simon Vis	Ja, die is het.

6

Nadenken, naar je woorden zoeken

Nou, ...
Eens/Even kijken, ...
Hoe heet dat (ook al weer)?

— Ik kom mijn broek halen.
— Nou, ik zie hem niet.

— Wanneer heeft u de broek gebracht?
— Eens kijken, woensdag, denk ik.

— Hoe ziet uw broek eruit?
— Gewoon, zwart, met hoe heet dat, met zo'n plooi.

Die en dat

Die en dat kunnen verwijzen naar een eerder genoemde persoon of zaak

— Zie je Piet en Marja?
— Nee, die zie ik niet.

— Zie je mijn jack?
— Ja, dat hangt daar.

Bij personen en de-woorden: die

— Waar woont Mario?
— Die woont in Rotterdam.

— Is dit uw broek? (de broek)
— Ja, die is het.

Bij het-woorden: dat

— Waar is mijn vest? (het vest)
— Dat heb ik naar de stomerij gebracht.

Het bezittelijk voornaamwoord: alle vormen

	Zonder accent		*Met accent*
1	**mijn** [mən]	1	**mijn**
2	formeel: **uw**	2	formeel: **uw**
	informeel: **je**		informeel: **jouw**
3	man: **zijn** [zən]	3	man: **zijn**
	vrouw: **haar** [dər]		vrouw: **haar**
1	**ons/onze**	1	**ons/onze**
2	formeel: **uw**	2	formeel: **uw**
	informeel: **jullie**		informeel: **jullie**
3	**hun**	3	**hun**

— Dag, ik kom mijn broek halen.
— Hoe ziet uw broek eruit?

3 Prijslijst stomerij

4 Bij de kleermaker

Ulla Svensson	Kunt u deze broek veranderen?
Kleermaker	Wat is het probleem, mevrouw?
Ulla Svensson	Hij is te wijd.
Kleermaker	O, dus ik moet hem innemen?
Ulla Svensson	Innemen? Zeg je dat zo in het Nederlands?
Kleermaker	Ja, hij is toch te wijd? Hoeveel moet ik hem innemen?
Ulla Svensson	Nou, ik weet het niet precies. Ongeveer zo'n stukje, denk ik.
Kleermaker	Vijf centimeter?
Ulla Svensson	Zoiets, ja.
Kleermaker	Ik zal het even meten. Hè, waar ligt dat ding nu?
Ulla Svensson	Wat zoekt u?
Kleermaker	Mijn centimeter. Ah, hier heb ik hem. Ja, vijf, zes centimeter.
Ulla Svensson	Wanneer is hij klaar?
Kleermaker	Morgen. Of liever gezegd morgenmiddag.
Ulla Svensson	Kan het niet eerder?
Kleermaker	Nee, dat lukt niet.
Ulla Svensson	O, dan moet ik iemand anders vragen. Mijn vriend komt hem morgenmiddag halen.
Kleermaker	Uitstekend, mevrouw.

Bij het spreken om hulp vragen

Hoe moet ik dat zeggen?
Hoe zeg je dat (in het Nederlands)?
Zeg je dat zo (in het Nederlands)?

— Hoe ziet die broek eruit?
— Ja, hoe moet ik dat zeggen? Gewoon, zwart, met zo'n plooi.

— Moet ik de broek innemen?
— Innemen? Zeg je dat zo in het Nederlands?

Iets omschrijven

Zo/Zo'n + *gebaar*	— Hoe ziet de broek eruit? — Gewoon, zwart, met zo'n plooi. — Moet ik de broek innemen? — Innemen? Zeg je dat zo in het Nederlands? — Hoeveel moet ik hem innemen? — Ongeveer zo'n stukje, denk ik.
(Zo)iets/(Zo)iemand	— Vijf centimeter? — Zoiets, ja.
Een ding	— Hè, waar ligt dat ding nu? — Wat zoekt U? — Mijn centimeter.

Vragen naar lengte en reactie

Hoe groot/lang is ...?	— Hoe groot is Joop? — Joop is 1.80 meter. — En hoe lang is Astrid? — Astrid is 1.72 meter.
Wat is de lengte (van ...)?	— Wat is de lengte van je kamer? — Mijn kamer is zes meter lang.

6

Lengtematen

Een kilometer	= duizend meter
Een meter	= tien decimeter
Een decimeter	= tien centimeter
Een centimeter	= tien millimeter

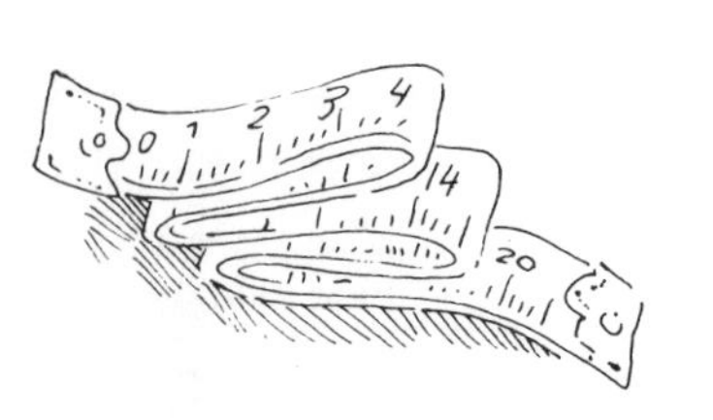

Onbepaalde voornaamwoorden: iets en iemand

Bij dingen: iets	— Wil je iets drinken? — Ja, graag.
	— Moet ik de broek vijf centimeter innemen? — Zoiets, ja.
Bij personen: iemand	— Kunt u uw broek morgenmiddag halen? — Nee, dan moet ik iemand anders vragen.

C o-o 5 In een hakkenbar

Tilly Andringa Kunt u deze schoenen repareren?
Schoenmaker Ja, wat mankeert eraan?
Tilly Andringa Nou kijk, de hakken zijn kapot.
Schoenmaker De hakken?
U zult de zolen bedoelen, denk ik.
Tilly Andringa Ja, zei ik hakken?
Nee, ik bedoel de zolen.
Schoenmaker Wilt u ook nieuwe hakken?
Tilly Andringa Nee, dat hoeft niet.
Schoenmaker Zeker weten?
Tilly Andringa Nee, dank u, dat is echt niet nodig.
Schoenmaker Wilt u eh... rubber of leer?
Tilly Andringa O, geen idee ...
Wat is goedkoper?
Schoenmaker Nou, rubber is iets goedkoper.
Zal ik rubber doen?
Tilly Andringa Goed. Hoe lang duurt het?
Schoenmaker Een uurtje, ongeveer.
Tilly Andringa Nou, tot straks dan.
Schoenmaker Dag, mevrouw.

Corrigeren wat je zegt

Nee, ik bedoel ...	— Uw zolen zijn kapot, niet uw hakken. — Zei ik hakken? Nee, ik bedoel de zolen.
... of liever gezegd ...	— Wanneer is de broek klaar? — Morgen. Of liever gezegd morgenmiddag.

Iets niet weten

Ik weet het niet/ Dat weet ik niet.	— Hoeveel moet ik de broek innemen? — Nou, ik weet het niet precies.
Geen idee. (*informeel*)	— Wilt u rubber of leer? — O, geen idee. Wat is goedkoper?

Ontkenning: niet

Let op de plaats van *niet*.

1 *Na een lijdend voorwerp*

— Hebt u mijn broek?
— Nee, ik zie hem niet.

— Wanneer heeft u die broek gebracht?
— Je weet het niet.

2 *Voor een bijwoord*

— Hoeveel moet ik de broek innemen?
— Nou, ik weet het niet precies.

— Kan ik de broek niet eerder halen?
— Nee.

D 6 Kleine rampen

Op sommige dagen is er niets aan de hand. Andere dagen vormen een aaneenschakeling van kleine ongelukken. 's Morgens trek je een overhemd aan, maar het bovenste knoopje springt los. Je pakt vlug een ander hemd, want je hebt geen tijd om de knoop vast te naaien. Je maakt je schoenen vast, maar de veter breekt. Je legt een knoop in de veter en je hoopt dat hij niet losgaat. In de trein op weg naar je werk zit je tegenover een vriendelijke man. Maar hij is onhandig en morst koffie over je broek. Op je knie zit nu een grote, bruine vlek. De man excuseert zich en jij mompelt 'o, het geeft niet, het is een oude broek'. Maar van binnen kook je! In de trein is geen water om de broek schoon te maken. Daarom loop je op je werk meteen naar de toiletruimte. 'Wat is er met jou?' vraagt een collega. Een ongeluk komt nooit alleen, zeggen ze wel eens.

E **7** **Kleding aangeboden en gevraagd**

☐ **AANGEBODEN**

■ Wollen **damesjas**, lang model, crème kleurig, maat 44, f 50,–. Tevens leren damesjasje, blazermodel, kleur groen, f 35,–, maat 44.
■ **Regenpak** en gevoerde winterjas, maat M, voor f 25,– per stuk.
bel 's morgens tussen 08.00 – 10.00 uur of 's avonds na 23.00 uur.
■ 4 paar All Star **basketbalschoenen** maat 40 ± f 50,– per paar. Rood/zwart/-blauw. Bel 's morgens tussen 8.00 en 10.00 uur of 's avonds na 23.00 uur. Ze zijn zo goed als nieuw.
■ Leren heren **jeansbroek** zwart, maat 38 f 125,–; bel 's morgens tusen 8.00 en 10.00 uur of 's avonds na 23.00 uur.
■ Motomod **winterpak**, tweedelig, maat 48–50. f 150,–.
■ Lange dames **lammi-coat**, maat 36–38, zo goed als nieuw. Anderhalf jaar oud. Prijs f 400,–.
■ Verschillende **avondjaponnen** maat 44, verschillende dames en herenkleding.
■ Diverse nieuwe **damesschoenen** maat 38 t/m 39½ vanaf f 5,–
■ Blauw fluwelen **blazer**, heren, maat 44, f 30,–. Lange zwarte suede mantel, borg gevoerd, afgezet met vossebont, maat 44, f 100,–
■ Echt leder **motorjack**, medium, f 65,–.
■ **Lammycoat** maat 38, vraagprijs f 450,–.
■ Korte **bontjas**, zo goed als nieuw, lamsbont
■ **Bontjasje**, sneeuwkalfje maat 38/40, f 250,–.
■ Wit **smokingjasje**, maat 52, smoking-hemd, zwarte schoenen, maat 43
■ Splinternieuwe dames **lammy-coat** maar zeer exclusief. Gekocht bij Nieuw England voor f 1.600,– helaas te klein gekocht. Maat 40–42, nu f 695,– Echt te geef voor wie hem past. Een juweel van een jas Tel. 020–26 11 13
■ Enkele dames– en heren**etalagepoppen** (staand en zittend), tevens kinderetalage-poppen. Alles kompleet met pruik en voet-plaat.
■ **Bergwandelschoenen** maat 36, f 25,–
■ Prachtige moderne **bruidsjurk**, 2 delig, 7/8e lengte van zijde gemaakt, maat 38, met lange mouwen, f 275,–

■ **GEVRAAGD**

■ Van wie zou ik een sjieke zwarte lange **avondjurk** kunnen lenen of huren voor een galabal 19 en 20 november, maat 36, lengte 1.76 mtr. Moniek,
■ Wie kan mij helpen hetzij gratis, hetzij zeer goedkoop, aan **werkkleding**, maat 50 voor een heer, overalls of overhemd/broek, graag katoen, voor het buitenland (Castricum)
■ Gevraagd mooi en schoon **sinterklaas-pak** te leen of te huur voor maandagoch-tend 5 december a.s.
■ v.Wonderen vraagt kinder–, dames– en herenschoenen voor de laagste prijs voor project in **3e wereld**. (Hilversum)
■ Gevraagd zwarte rubberen **regenlaarzen**, maat 41 of 42. Dit model werd zo'n 15 jaar geleden gedragen. Kijkt u eens in uw kelder of zolder, wilt u mij dan een kaartje sturen.
■ Gezocht: demontabel **kledingrek**, maat niet belangrijk.
■ Mooi **herenjack** van leer of eventueel stof, liefst een klein beetje kwaliteit maat 50
■ Ik bied nog steeds f 600,– voor een Nederlands **soldatenuniform** uit 1940 (grijze wol, staande kraag) en f 500,– voor een bamboe tropenhoed van het KNIL (Nederlands Indie). Wie zoekt ze op?

F

de aaneenschakeling
al
de bandplooi
de bediende
binnen
— van binnen
de blouse
de bon
boven
breken
brengen
bruin
de ceintuur
de centimeter
het colbert
de collega
daarom
de das
de decimeter
denken
het ding
duren
dus
eerder
de etalage
zich excuseren
gewoon
de hak
de hakkenbar
de hand
— aan de hand zijn
de handschoen
hangen
het hemd
de hoed
hoeven
hopen
het idee
innemen
het jack
de japon
de jas
de jumper
de jurk
de kamer
kapot
de kilometer
klaar
de kledingzaak
de kleermaker
kloppen
— dat klopt
de knie
de knoop
koken
de kous
de laars
het leer
leggen
de lengte
liggen
losgaan
losspringen
lukken
mankeren
de mantel
meteen
meten
de meter
de millimeter
mompelen
morgenmiddag
morsen
de muts
naaien
nieuw
nodig
nooit
het ongeluk
ongeveer
onhandig
oud
het overhemd
pakken
de pantalon
de plooi
precies
de prijslijst
het probleem
de ramp
de regenjas
repareren
de riem
de rok
het rubber
de schoenmaker
schoonmaken
de sjaal
de sok
sommige
straks
toch
de toiletruimte
de trein
de trui
vastmaken
vastnaaien
veranderen
het vest
de veter
de vlek
vlug
vormen
vriendelijk
de want
de weg
— op weg naar
wijd
het woord
zeker
de zool

7 Bent u hier bekend?

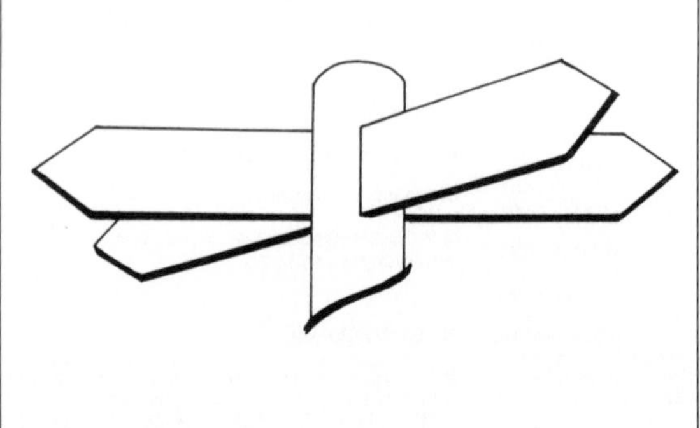

A 1 Op straat

Janneke Lamar	Pardon mevrouw, mag ik u iets vragen?
Cora Addicks	Ja hoor.
Janneke Lamar	Weet u waar de Karnemelkstraat is?
Cora Addicks	Nee mevrouw, het spijt me. Ik woon hier niet.
Janneke Lamar	O, jammer.
Janneke Lamar	Pardon meneer, bent u hier bekend?
Bertus Venema	Ja.

Janneke Lamar	Ik zoek de Karnemelkstraat.
Bertus Venema	De Karnemelkstraat, eens even kijken.
Janneke Lamar	Het moet hier ergens in de buurt zijn.
Bertus Venema	Ja, u loopt hier rechtdoor tot de hoek van deze straat. Ziet u de stoplichten daar?
Janneke Lamar	Ja.
Bertus Venema	Bij de stoplichten steekt u over. U gaat linksaf. En dan is het de eerste straat aan uw rechterhand.
Janneke Lamar	Dus tot aan de stoplichten rechtdoor. Oversteken, linksaf en dan de eerste straat rechts?
Bertus Venema	Precies.
Janneke Lamar	Dank u wel, meneer.
Bertus Venema	Graag gedaan.

Iemand aanspreken

Pardon meneer/mevrouw, ...
(Dag) meneer/mevrouw, ...

— Pardon mevrouw, mag ik u iets vragen?
— Ja hoor.

— Dag meneer, kunt u mij even helpen?
— Natuurlijk, mevrouw.

De weg vragen

Weet u waar ... is?
Bent u hier bekend?
Ik zoek ...
Waar is ...?

— Weet u waar de Karnemelkstraat is?
— Nee, mevrouw, het spijt me. Ik woon hier niet.

— Pardon, meneer, bent u hier bekend? Ik zoek de Karnemelkstraat.
— De Karnemelkstraat, eens even kijken.

De weg wijzen

U gaat rechtdoor/linksaf/rechtsaf.
U gaat/loopt tot ...
(Het/Dat is) aan uw linker/rechterhand.
(Het/Dat is) aan de linker/rechterkant.
Links/Rechts.

— Dag meneer, waar is de Karnemelkstraat?
— U gaat hier rechtdoor tot aan de stoplichten. Bij de stoplichten steekt u over. U gaat linksaf. En dan is het de eerste straat aan uw rechterhand.

Oriëntatie: de weg wijzen/vragen

rechtdoor

links
linksaf

aan de linkerkant
aan uw linkerhand

rechts
rechtsaf

aan de rechterkant
aan uw rechterhand

B 2 Op het station

David Snoek	Retour Haarlem, alstublieft.
Lokettiste	Waarnaartoe, Arnhem?
David Snoek	Nee, Haarlem.
Lokettiste	f 20,25, alstublieft.
David Snoek	Hoe laat gaat de trein naar Haarlem?
Lokettiste	Elk half uur, om kwart voor en kwart over.
David Snoek	Elk half uur, zegt u?
Lokettiste	Ja, om kwart voor en kwart over.
David Snoek	Dus de volgende trein is om kwart voor tien?
Lokettiste	Ja, maar die haalt u niet meer. U moet wachten tot kwart over tien.
David Snoek	En van welk spoor vertrekt de trein?
Lokettiste	Spoor 7 A.
David Snoek	Van welk spoor?
Lokettiste	Spoor 7 A.
David Snoek	Dank u wel.
Lokettiste	Tot uw dienst, meneer.

Controlevragen stellen

Herhaling met vragende intonatie.
Vraag met accent op het vraagwoord.
Dus ...
..., klopt dat?

— De trein naar Haarlem vertrekt elk half uur.
— Elk half uur, zegt u?

— Retour Haarlem, alstublieft.
— Waarnaartoe?

— Dus de volgende trein is om kwart over tien?
— Ja, maar die haalt u niet meer.

— De Karnemelkstraat moet hier ergens in de buurt zijn, klopt dat?
— Ja, dat klopt.

Reactie op bedanken

Graag gedaan.

— Bedankt, meneer.
— Graag gedaan.

Tot uw dienst. (*formeel*)

— Dank u wel.
— Tot uw dienst, meneer.

Waarnaartoe en waarheen

— Ik wil graag naar Haarlem.
— Waarnaartoe/Waarheen?

— Waar ga je naartoe/heen?
— Ik ga naar Rotterdam.

De klok

4.00 uur: vier uur.
4.05 uur: vijf over vier.
4.10 uur: tien over vier.

4.30 uur: half vijf.
4.35 uur: vijf over half vijf.
4.40 uur: tien over half vijf.

4.15 uur: kwart over vier.
4.20 uur: tien voor half vijf.
4.25 uur: vijf voor half vijf.

4.45 uur: kwart voor vijf.
4.50 uur: tien voor vijf.
4.55 uur: vijf voor vijf.

Een dag heeft 24 uur. Een uur heeft vier kwartier.
Een half uur heeft dertig minuten. Een minuut heeft zestig seconden.

Vragen naar de tijd en reactie

Hoe laat is het?
(Het is) ***tijd*.**

— Hoe laat is het?
— Kwart over vier.
Het is kwart over vier.

Hoe laat ...?
Om ***tijd*.**

— Hoe laat vertrekt de trein naar Haarlem?
Hoe laat begint de les?
Hoe laat kom je?
— Om kwart over vier.

C 3 In de tram

Controleur	Meneer, mag ik even uw plaatsbewijs zien?
Jacques Pilot	Wat zegt u?
Controleur	Uw plaatsbewijs, uw kaartje.
Jacques Pilot	Moment ..., alstublieft.
Controleur	Dank u wel. Waar bent u ingestapt?
Jacques Pilot	In Slotermeer.
Controleur	En u gaat naar het Centraal Station?
Jacques Pilot	Ja.
Controleur	Dan hebt u een zone te weinig gestempeld.
Jacques Pilot	Neemt u me niet kwalijk, maar wat bedoelt u?
Controleur	Van Slotermeer naar het Centraal Station is twee zones.
Jacques Pilot	Dat is toch één zone?
Controleur	Nee, meneer, twee zones. En u hebt maar één zone afgestempeld.
Jacques Pilot	O sorry, dan zal ik er nog een zone bij doen.
Controleur	Nee, u bent nu te laat. U moet f 26,– betalen.
Jacques Pilot	f 26,–? Dat heb ik niet bij me.
Controleur	Kunt u zich legitimeren?
Jacques Pilot	Ik heb een rijbewijs bij me.
Controleur	Mag ik dat even zien?
Jacques Pilot	Alstublieft.
Controleur	Dank u wel. Met dit formulier moet u binnen een week f 26,– betalen.
Jacques Pilot	Binnen een week?
Controleur	Ja, anders kost het u f 41,–.
Jacques Pilot	Waar moet ik dat betalen?
Controleur	Kijk, hier staat het adres.
Jacques Pilot	Nou, vooruit dan maar.

Zich excuseren

Pardon/Sorry.
Neemt u me/Neem me niet kwalijk.
Het spijt me.

— U moet twee zones afstempelen.
— O sorry, dan zal ik er nog een zone bij doen.

— Meneer, u hebt een zone te weinig gestempeld.
— Neemt u me niet kwalijk, maar wat bedoelt u?

— Weet u waar de Karnemelkstraat is?
— Nee, mevrouw, het spijt me. Ik woon hier niet.

De voltooid tegenwoordige tijd

1 De voltooid tegenwoordige tijd: hebben/zijn + voltooid deelwoord

Het voltooid deelwoord: ge + stam + t/d (stam = 1e persoon enkelvoud)

ge + stam + **t**: als de stam eindigt op **-k, -p, -ch, -f, -s, -t** ('**t kofschip**)
ge + stam + **d**: in de andere gevallen

	maken	*kussen*	*stoppen*	*leren*	*spelen*
stam	maak	kus	stop	leer	speel
deelwoord	**gemaakt**	**gekust**	**gestopt**	**geleerd**	**gespeeld**

Voor het voltooid deelwoord van onregelmatige werkwoorden zie Appendix 3.

2 We gebruiken de voltooid tegenwoordige tijd bij het vertellen over handelingen en gebeurtenissen uit het verleden.

— Waar bent u ingestapt?
— In Slotermeer.
— U hebt een zone te weinig gestempeld.
— O ja, is dat zo?
Van Slotermeer naar het Centraal Station is toch één zone?
— Nee, meneer, twee zones. En u hebt maar één zone afgestempeld.

'koken (kookte, heeft gekookt) **1** *iets koken* het eetbaar maken door het gaar te maken in heet water • *eten koken* de warme maaltijd klaarmaken **2** *(van vloeistof)* zo warm zijn dat er dampbellen aan de oppervlakte komen • *water kookt bij 100° C; de vulkaan kookte; koken van woede* (uitdr.) heel boos zijn.

'koker (de~ (m.); -s) ronde buis waar je iets in kunt stoppen ⇒ *huls* • *de dure sigaar zat in een goudkleurige koker; dat idee komt niet uit mijn koker* (uitdr.; populair) ik heb het niet bedacht, het komt niet van mij.

ko'ket (bijv. nw.) gezegd van een meisje dat probeert met haar uiterlijk en maniertjes in de smaak te vallen ⇒ *behaagziek*.

koket'teren (koketteerde, heeft gekoketteerd) **1** je best doen

Uit: Van Dale, *Basiswoordenboek van de Nederlandse taal.*

Het wederkerend voornaamwoord: alle vormen

Zich legitimeren

1	Ik	legitimeer	**me.**	**1**	We	legitimeren	**ons.**
2	U	legitimeert	**u/zich.**	**2**	U	legitimeert	**u/zich.**
	Je	legitimeert	**je.**		Jullie	legitimeren	**je.**
3	Hij	legitimeert	**zich.**	**3**	Ze	legitimeren	**zich.**
	Ze	legitimeert	**zich.**				

D 4 Zones en strippen

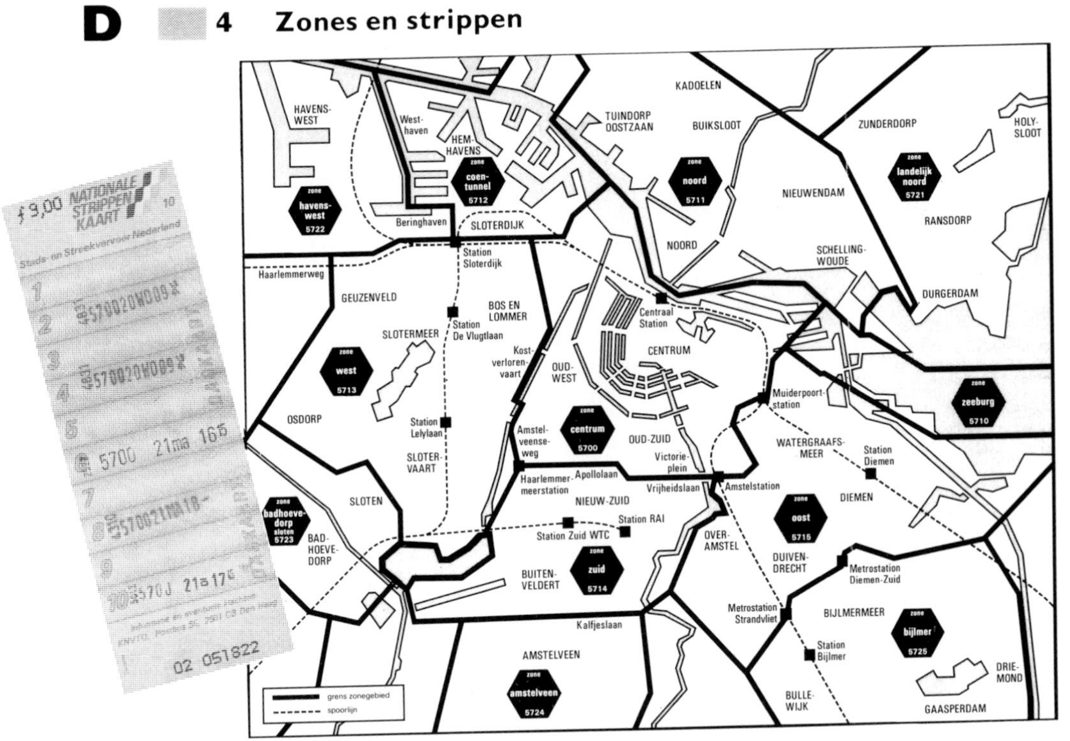

In Nederland reis je in bus, tram en metro met een strippenkaart. Nederland is verdeeld in zones. Amsterdam bijvoorbeeld heeft elf zones. Reist u binnen één zone, bijvoorbeeld in het centrum van Amsterdam, dan moet u de tweede strip stempelen. Reist u van Centrum naar Zuid, dan is dat 2 zones = 3 strippen. Van Centrum naar Bijlmer is 3 zones = 4 strippen.

7 **E** **5** **Dienstregeling**

LIJN 131a

van NAARDEN/KEVERDIJK
naar BUSSUM/SPIEGEL

Zaterdag

plaats en halte										
Naarden/Keverdijk, Aalscholverstraat	V	8 16	9 16	10 16	11 16	12 16	13 16	14 16	15 16	16 16
Naarden, Marktstraat		8 23	9 23	10 23	11 23	12 23	13 23	14 23	15 23	16 23
Bussum, Busstation	A	8 31	9 31	10 31	11 31	12 31	13 31	14 31	15 31	16 31
Bussum, Busstation	V	8 31	9 31	10 31	11 31	12 31	13 31	14 31	15 31	16 31
Bussum/Spiegel, Struikheiweg	A	8 39	9 39	10 39	11 39	12 39	13 39	14 39	15 39	16 39

plaats en halte					
Naarden/Keverdijk, Aalscholverstraat	V	17 16	18 16	19 13	20 13
Naarden, Marktstraat		17 23	18 23	19 18	20 18
Bussum, Busstation	A	17 31	18 31	19 25	20 25
Bussum, Busstation	V	17 31	18 31	19 25	20 25
Bussum/Spiegel, Struikheiweg	A	17 39	18 39	19 32	20 32

Dit vervoer wordt uitgevoerd met een dorpsbus
(Onder voorbehoud goedkeuring gemeenten Naarden en Bussum)

V = Vertrek
A = Aankomst

Dit is de dienstregeling van lijn 131a op zaterdag.
Lijn 131a is een busdienst tussen Naarden en Bussum.
De bus vertrekt vanaf de Aalscholverstraat in Naarden.
Het eindpunt is de Struikheiweg in Bussum.
Tussen de Aalscholverstraat en de Struikheiweg stopt de bus bij twee haltes.
De eerste bus vertrekt 's morgens om 8.16 uur.
De laatste bus vertrekt 's avonds om 20.13 uur.

F

afstempelen
beginnen
bekend
betalen
bijvoorbeeld
de bus
het centrum
de controleur
de dienst
het formulier
helpen
de hoek
kussen
kwalijk
— neem(t u) me niet kwalijk
het kwart
het kwartier
laat
zich legitimeren
leren (ww)
de linkerhand
de linkerkant
links
linksaf
de lokettiste
de metro
de minuut
het moment
oversteken
het plaatsbewijs
rechtdoor
de rechterhand
de rechterkant
rechts
rechtsaf
reizen
het retour
het rijbewijs
de seconde
spelen
spijten
het spoor
staan
het station
stempelen
het stoplicht
stoppen
de strip
de strippenkaart
de tram
verdelen
vertrekken
waarheen
waarnaartoe
de zone

8 Met wie spreek ik?

A 1 Postzegels kopen

Meneer Banza	Mag ik tien postzegels van 75 en vijf van 50? Er moet toch 50 cent op een ansichtkaart?
Lokettiste	Nee, 55.
Meneer Banza	Vijf van 55 dan. En deze brief moet naar Moçambique. Ik wil hem graag aangetekend versturen. Hoeveel kost dat?
Lokettiste	Geeft u de brief eens. Aantekenen kost f 7,- extra.
Meneer Banza	En hoeveel porto moet erop?
Lokettiste	Er moet f 1,30 op. Dat is dan f 18,55 bij elkaar.
Meneer Banza	Alstublieft.
Lokettiste	Met f 6,45.
Meneer Banza	Dank u wel.

2 Een pakje versturen

Mevrouw Vandenberghe Ik wil een pakje versturen naar België. Wanneer komt het daar aan?

Lokettist Eh ..., het is nu dinsdag, dat wordt donderdag mevrouw.

Mevrouw Vandenberghe Dat is te laat. Kan het niet sneller?

Lokettist Jawel, maar dan moet u het per expres versturen. Dan is het er morgenmiddag.

Mevrouw Vandenberghe Hoeveel kost dat?

Lokettist Even kijken, het pakje weegt 300 gram. Dat kost f 5,- extra.

Mevrouw Vandenberghe Goed, doet u dat maar. Ik wilde u nog iets vragen. Ik ga verhuizen. Kunt u mijn post doorsturen naar mijn nieuwe adres?

Lokettist Jazeker, dat kan. U moet een 'verhuisbericht' invullen. De Post stuurt dan drie maanden uw post door.

Mevrouw Vandenberghe Zou u me zo'n formulier kunnen geven?

Lokettist Ze liggen daar. U kunt ze zo pakken.

Mevrouw Vandenberghe Dank u wel.

3 De PTT (Posterijen, Telegrafie en Telefonie)

Iemand verzoeken iets te doen

Kunt u ...?
Zou u ... kunnen/willen ...?

— Kunt u mijn post doorsturen?
— Jazeker, dat kan.

— Zou u me een formulier kunnen geven?
— Ze liggen daar. U kunt ze zo pakken.

Er *en* **daar**: ***plaats***

— Ik woon in Utrecht.
— Daar woon ik ook. Ik woon er al tien jaar.

— Dit pakje moet naar België. Wanneer is het daar?
— Het is er overmorgen.

— Is Kees thuis?
— Nee, die is er niet.

B o-o 4 Joan Appelhof belt op

Jan Peter de Waard	Jan Peter de Waard.
Joan Appelhof	Dag Jan Peter, met Joan Appelhof. Is je moeder thuis?
Jan Peter de Waard	Momentje. Mam, telefoon voor je.
Mevrouw De Waard	Wilma de Waard.
Joan Appelhof	Dag Wilma, met Joan.
Mevrouw De Waard	Ha, Joan.

5 Anna Mertens belt op

Jan Veenstra	Met Veenstra.
Anna Mertens	Met wie zegt u?
Jan Veenstra	Met Veenstra.
Anna Mertens	O, neemt u me niet kwalijk. Dan heb ik een verkeerd nummer gedraaid.
Jan Veenstra	Wie moet u hebben?
Anna Mertens	Mariska Prins.
Jan Veenstra	Ja, dat klopt. Die woont hier ook.
Anna Mertens	Kan ik haar even spreken?
Jan Veenstra	Ja hoor, ik zal haar even roepen.

Telefoneren (A belt B op)

B
(Met) ***naam***
(Met) mevrouw/meneer ***naam***

A
Ja/Dag, met ***naam***
U/Je spreekt met ***naam***

Kan ik ***naam*** **even spreken?**
Is ***naam*** **thuis?**

— Met Sofie Veerman.
— Dag, met Sylvia Arzberg.
— Met wie?
— Met Sylvia Arzberg.
Kan ik Jan Peter even spreken?
— Moment. Ik zal hem even roepen.

C 6 Bij de bank

Mevrouw Verhoog	Goedemorgen. Ik wil graag f 250,- opnemen van mijn rekening.
Lokettist	Hebt u hier een rekening?
Mevrouw Verhoog	Nee, bij een ander filiaal.
Lokettist	Hebt u een legitimatie?
Mevrouw Verhoog	Mijn betaalpasje, is dat goed?
Lokettist	Nee, paspoort of rijbewijs graag.
Mevrouw Verhoog	O, dat heb ik niet bij me. Kunt u het zo niet geven?
Lokettist	Nee, dat gaat niet.
Mevrouw Verhoog	Wat vervelend. Ik wou ook nog voor f 500,- Engelse ponden.
Lokettist	Dat kan. Dat zijn dan 150 Engelse ponden. Alstublieft.
Mevrouw Verhoog	Dank u wel.

7 Paula Burdova belt de Postbank op

Telefoniste	Postbank, goedemorgen.
Paula Burdova	Goedemorgen, u spreekt met mevrouw Burdova. Ik wilde iets vragen over vreemde valuta.
Telefoniste	Dat kan. Ik verbind u door met de afdeling vreemde valuta.
Telefoniste	Het toestel is in gesprek. Wilt u wachten of belt u terug?
Paula Burdova	Ik wacht wel even.

Bo van der Linden	Van der Linden.
Paula Burdova	Ja, met mevrouw Burdova. Mag ik u wat vragen?
Bo van der Linden	Jazeker mevrouw. Wat wilt u weten?
Paula Burdova	Kunt u mij vertellen wat de koers van de dinar vandaag is?
Bo van der Linden	Ja. U krijgt 100 dinar voor f 0,02.
Paula Burdova	Dank u wel.

Informatie vragen

Mag ik u iets vragen?
Ik wou/wilde u iets vragen (over ...)
Kunt u me vertellen ...

— Ik wilde iets vragen over vreemde valuta.
— Wat wilt u weten?

— Kunt u me vertellen wat de koers van de dinar is?
— Ja, dat kan.

Het samengestelde werkwoord

aankomen	–	ik kom	aan	–	ik ben aangekomen
doorsturen	–	ik stuur	door	–	ik heb doorgestuurd
invullen	–	ik vul	in	–	ik heb ingevuld

Onvoltooid tegenwoordige tijd.
Wanneer komt het pakje aan?
Ik verbind u door met de afdeling vreemde valuta.
Mevrouw Vandenberghe vult een formulier in.

Voltooid tegenwoordige tijd.
Het pakje is donderdag aangekomen.
Heeft de PTT de post doorgestuurd?
Mevrouw Vandenberghe heeft een formulier ingevuld.

WISSELMARKTEN

AMSTERDAM

notering in guldens	12/06	13/06
amerik.dollar	1,9030	1,9070
antill.gulden	1,0625	1,0650
austr.dollar	1,4745	1,4755
belg.frank (100)	5,4720	5,4755
canad.dollar	1,6210	1,6275
deense kroon (100)	29,5550	29,5600
duitse mark (100)	112,515	112,545
engelse pond	3,2375	3,2500
franse frank (100)	33,4300	33,4500
griekse dr. (100)	1,1495	1,1500
hongk.dollar (100)	24,4500	24,4500
ierse pond	3,0150	3,0160
ital.lire (10.000)	15,3250	15,3400
jap.yen (10.000)	123,000	123,350
nwzeel.dollar	1,1000	1,1075
noorse kroon (100)	29,300	29,350
oost.schill. (100)	15,9900	15,9940
saudi ar.ryal (100)	50,950	50,850
spaanse pes. (100)	1,8135	1,8180
surin.gulden	1,0650	1,0675
zweedse kr. (100)	31,1350	31,1800
zwits.frank (100)	132,350	133,000
e.c.u.	2,3175	2,3220

bron: gwk/cdk bank.

8 008 bellen

PTT Telecom. Inlichtingen telefoonnummers binnenland.
Er zijn meer dan twaalf wachtenden voor u.
Er zijn nog twaalf wachtenden voor u.
Er zijn nog negen wachtenden voor u.
Er zijn nog ...

Telefoniste Inlichtingen, goedemiddag.
Hendrik de Ridder Dag. Ik wou graag een telefoonnummer in Utrecht. Van Bommelstein.
Telefoniste Wat is het adres?
Hendrik de Ridder Domstraat 87.
Telefoniste L.C. Bommelstein?
Hendrik de Ridder Ja, dat klopt.
Telefoniste Het nummer is 030-869045.
Hendrik de Ridder Dank u wel.
Telefoniste Tot uw dienst.
Hendrik de Ridder Dag.

9 De telefoongids

In de telefoongids kun je informatie over telefoneren vinden: telefoonnummers, hoeveel kost een gesprek met China, landnummers, en nog veel meer. Er staan ook telefoonnummers in waar je speciale informatie kunt krijgen. Als je bijvoorbeeld wilt weten wat voor weer het morgen is, dan kun je 003 bellen. Wil je weten hoe laat het is: bel 002. En de 'geinlijn' van Max Tailleur vertelt je de leukste mop.
Al deze telefoontjes kosten wel geld, want de PTT doet 'niets voor niets'.

Beleefd vragen

Ik wou graag ...
Ik wil graag ...

— Ik wou graag een telefoonnummer in Utrecht. Van Bommelstein.
— Wat is het adres?

— Ik wil graag f 250,- opnemen van mijn rekening.
— Hebt u hier een rekening?

E 10 Kinderpostzegelaktie

Betalen met bank- of girocheque

Tweede ronde kinderpostzegelaktie gaat van start

De kinderpostzegelaktie is woensdag 16 november de tweede ronde ingegaan. De kinderen komen langs de deur om overal de bestelde kinderpostzegels en wenskaarten af te leveren.
Heeft u ook kinderpostzegels besteld? Dan ontvangt u vanaf nu uw bestelling. Daar moet u natuurlijk voor betalen. Dat afrekenen gaat het makkelijkst met een girobetaalkaart of een bankcheque. U schrijft op de cheque het woord 'kinderpostzegels', het juiste bedrag en uw handtekening. Het is eenvoudig en het voorkomt problemen met wisselgeld.
De kinderen zullen het u vragen. En Martine Bijl vraagt het namens de kinderpostzegelaktie op televisie.
Heeft u nog geen kinderpostzegels besteld? Geen nood! Vanaf 16 november zijn de kinderpostzegels te koop op het postkantoor. Er zijn velletjes, series, PTT-mapjes, teveel om op te noemen. Misschien een ideetje voor een Sinterklaascadeau? U maakt er niet alleen de ontvanger blij mee: honderdduizenden kinderen over de hele wereld krijgen door uw bijdrage weer een kans op een menswaardig bestaan. Doen dus!

F

aantekenen
aanwezig
de afdeling
de ansichtkaart
de bank
de bestemming
de betaalpas
het binnenland
de brief
de brievenbus
de dinar
doorsturen
doorverbinden
draaien
Engels
per expres
extra
het filiaal
de geinlijn
het geld
het gesprek
de informatie
de inlichting
invullen
jawel
jazeker
de koers
het landnummer
de legitimatie
de lokettist
de luchtpostbrief
de moeder
de mop
opbellen
opnemen
overig
overmorgen
het paspoort
de porto
de post
de postbode
de postzegel
de rekening
roepen
speciaal
spreken
de streekpost
sturen
telefoneren
de telefoniste
de telefooncel
de telefoongids
het telefoonnummer
het telefoontje
terugbellen
het toestel
de valuta
het verhuisbericht
verhuizen
verkeerd
versturen
vertellen
vervelend
vreemd
het weer

9 Wat staat er in de krant?

Algemeen Dagblad
de Volkskrant
Het PAROOL
NRC HANDELSBLAD
De Telegraaf
Trouw

A 1 Aan het ontbijt

Annet Zeg, schiet toch op.
Het is bijna acht uur.
Hannie Ja, je hebt gelijk, maar ik kom toch te laat.
Er rijden geen bussen vandaag.
Annet Meen je dat nou?
Hannie Ja, ik heb het net in de krant gelezen.
Kijk, hier staat het: Buschauffeurs staken.
Annet Inderdaad.
O, wat lastig!
Dan kan ik vanmiddag ook niet de stad in.
Hannie Ach, misschien valt het mee.
De staking duurt vast niet lang.
Annet Denk je dat echt?
Zet eens gauw de radio aan.
Misschien is er nog nieuws over de acties.
Radio Acht uur, radionieuwsdienst verzorgd door het ANP.

Iemand aansporen

vlug/snel/gauw	— De staking duurt vast niet lang. — Denk je dat echt? Zet eens gauw de radio aan. Misschien is er nog nieuws over de acties.
opschieten	— Zeg, schiet toch op. — Ja, je hebt gelijk, maar ik kom toch te laat.

Aan iets twijfelen

Meent u/Meen je dat nou? **Echt waar?** **Is dat zo?**	— Er rijden geen bussen vandaag. — Meen je dat nou?
Denkt u/Denk je dat echt?	— De staking duurt vast niet lang. — Denk je dat echt?

Spoorwegstaking april 1990

De gebiedende wijs

1 Zonder onderwerp (het werkwoord heeft de vorm van de stam)
Zeg, schiet toch op.
Zet eens gauw de radio aan.
Kom binnen.
Zeg het maar.

2 Met onderwerp (in de tweede persoon)
Kom jij maar binnen.
Geeft u mij maar een thee.
Zegt u het maar.

B o-o 2 Kranten en tijdschriften

Heeft u in een kiosk of krantenwinkel ook wel eens gedacht: wat zijn er toch een boel verschillende bladen? Of: waar staat mijn eigen favoriete blad? Bovendien lijken veel bladen op elkaar. In principe kun je ze in vijf groepen verdelen.
In de eerste plaats hebben we de kranten of dagbladen. Deze bladen verschijnen elke dag, behalve zondag. Ze geven vooral nieuws: over de politieke situatie in China of Engeland, over protestacties van de politie, enzovoort. Verder geven kranten in een commentaar vaak een mening over het nieuws.
In de tweede plaats zijn er zogenaamde opiniebladen. Die vertellen niet alleen wat er gebeurd is, maar ze geven ook allerlei achtergrondinformatie over het hoe en waarom van bepaalde acties. Het zijn bladen met een duidelijke politieke mening. Die mening over het nieuws is in deze bladen belangrijker dan in de kranten. Ze verschijnen wekelijks, zoals Elsevier, Vrij Nederland of De Groene Amsterdammer.
De familiebladen vormen een derde groep. In die bladen staan leuke artikelen met mooie foto's naast serieuze artikelen over onderwijs, gezondheid en milieuproblemen of zo. Ze bieden dus niet alleen informatie, maar ook ontspanning. Voorbeelden van deze bladen zijn Libelle, Panorama, Viva of Nieuwe Revu.
Ten vierde kennen we de roddelbladen als Story of Privé. Het zijn bladen die de lezer alleen maar willen amuseren. Vaak brengen ze sensatieverhalen, zoals: Nieuwe vriendin voor Anthony Delon of: Waarom is Sophia Loren zo depressief?
Tot slot zijn er vakbladen en hobbybladen, bijvoorbeeld Personal Computer Magazine, Voetbal International of Vrouw en Mode. In deze bladen staat veel informatie en vaak is die informatie tamelijk professioneel.

Opsommen

In de eerste plaats ..., in de tweede plaats ...
Ten eerste ..., ten tweede ...
Verder ...
Tot slot/Ten slotte ...
... enzovoort.

In de eerste plaats hebben we de kranten of dagbladen ... In de tweede plaats zijn er zogenaamde opiniebladen ... Ten vierde kennen we de roddelbladen ... Verder geven kranten in een commentaar ook vaak een mening over het nieuws ... Tot slot zijn er vakbladen en hobbybladen. Ze geven vooral nieuws: over de politieke situatie in Rusland, over protestacties van de politie, enzovoort.

Een voorbeeld geven

Voorbeelden zijn .../Een voorbeeld is ...
Bijvoorbeeld ...
Als/Zoals ...
... en zo/of zo.

Opiniebladen verschijnen wekelijks zoals Elsevier, Vrij Nederland of De Tijd. De familiebladen vormen een derde groep. Voorbeelden van deze bladen zijn Libelle, Panorama, Viva of Nieuwe Revu.
Ten vierde kennen we de roddelbladen als Story of Privé. In die bladen staan leuke artikelen met mooie foto's naast serieuze artikelen over onderwijs, gezondheid en milieuproblemen of zo.
Tot slot zijn er vakbladen en hobbybladen, bijvoorbeeld Personal Computer Magazine, Voetbal International of Vrouw en Mode.

Rangtelwoorden

1e = eerste	6e = zesde	20e = twintigste
2e = tweede	7e = zevende	30e = dertigste
3e = derde	8e = achtste	
4e = vierde	9e = negende	100e = honderdste
5e = vijfde	10e = tiende	1000e = duizendste

In de eerste plaats hebben we de kranten of dagbladen.
In de tweede plaats zijn er zogenaamde opiniebladen.
De familiebladen vormen een derde groep.
Ten vierde kennen we de roddelbladen.

3 In een krantenwinkel

Jean-Paul Daveau	Is er geen Le Monde meer?
Winkelier	Nee, die hebben we vandaag niet gekregen.
Jean-Paul Daveau	Komt hij nog wel?
Winkelier	Ja, morgen, denk ik.
Jean-Paul Daveau	En eh Libération? Die zie ik ook niet.
Winkelier	Nee, dat klopt, er zijn vandaag helemaal geen Franse kranten binnengekomen.
Jean-Paul Daveau	O, wat vervelend.
Winkelier	Ja meneer, ik ben het met u eens, maar ik kan er ook niets aan doen.
Jean-Paul Daveau	Nou, dan neem ik maar een NRC en een Vrij Nederland.
Winkelier	Deze twee? Dat is f 6,70.
Jean-Paul Daveau	Alstublieft.
Winkelier	Ja, precies gepast, dank u wel.

Iemand gelijk geven

Ja, u/je hebt gelijk.	— Zeg, je moet opschieten. — Ja, je hebt gelijk, maar ik kom toch te laat.
Inderdaad.	— Kijk, hier staat het: Buschauffeurs staken. — Inderdaad.
Dat klopt.	— Libération zie ik ook niet. — Nee, dat klopt, er zijn vandaag helemaal geen Franse kranten binnengekomen.
Ik ben het met u/je eens.	— Zijn er geen kranten? O, wat vervelend. — Ja meneer, ik ben het met u eens, maar ik kan er ook niets aan doen.
Dat is waar.	— Dat is waar.

Er: repletief

Is het onderwerp van de zin onbepaald? Dan er toevoegen.

— Zet je de radio aan?
— Ja, misschien is er nog nieuws over de acties.

— Is er geen Le Monde meer?
— Nee, die hebben we vandaag niet gekregen.

Let op de volgorde

Eerste plaats	*Finiet werkwoord*	*Onderwerp*	*Rest*	*Infiniet werkwoord*
Er	rijden	geen bussen	vandaag.	
Vandaag	rijden	er geen bussen.		

Wat: in uitroepen

1 Wat + *bijvoeglijk naamwoord*:
— De buschauffeurs staken vandaag.
— O, wat lastig!

— Er zijn vandaag geen Franse kranten binnengekomen.
— O, wat vervelend!

2 Wat + een + *zelfstandig naamwoord*
Heeft u in een kiosk of krantenwinkel ook wel eens gedacht: wat zijn er toch een boel verschillende bladen?

D 4 Migranten en media

De Raad van Europa en het Ministerie van WVC organiseren op 29 en 30 november en 1 december 1988 een Europees colloquium met als titel 'Migranten, media en culturele verscheidenheid'. Op de drie dagen komen twee thema's aan de orde. Als eerste: 'Het beeld van migranten in de pers en op radio en televisie'; als tweede: 'Participatie en integratie van etnische minderheidsgroepen in de pers en bij radio en televisie'.

Het colloquium wordt gehouden in het Leeuwenhorst Congrescentrum in Noordwijkerhout; de voertalen zullen Engels en Frans zijn. Voor informatie en opgave kan men terecht bij het Ministerie van WVC, Congressecretariaat, Postbus 5406, 2280 HK Rijswijk, telefoon: 070-405710 (A.Zoetjes).

Uit: *Buitenlanders Bulletin 13*, 8/9, 1988, p.43.

5 Krantekoppen

MINISTER STOPT BESPREKING MET AMBTENAREN

Kans op vrede in Midden-Oosten?

GOEDE BETREKKINGEN TUSSEN LIBIË EN CHINA

Opnieuw conflict tussen Suriname en Frans Guyana

Woensdag beslissing Europacup

Vakbond heeft oplossing voor economische crisis

Buschauffeurs eisen kortere werktijden

PROTEST TEGEN OORLOG IN PANAMA

Kritiek op organisatie jazzfestival

E

6 Tijdschriftenladder

Promodukties **Telefoon (020) 253462** **Week 47**

OPINIEWEEKBLADEN

ELSEVIER/EW ELSEVIERS WEEKBLAD

DE NEDERLANDSE PERSCONCENTRATIE. Feiten en meningen over de voorgenomen fusie tussen NDU en Perscombinatie. W. Woltz, NRC: 'die domoren van de Volkskrant'. H. Lockefeer, Volkskrant: 'wat denken ze wel in Rotterdam'. **DE WAARHEID OVER DESI BOUTERSE**, een ex-lijfwacht spreekt zich uit. **DE VOLKSVERHUIZER**: het eigenzinnige woonbeleid van E. Heerma. **'WIJ WAREN VRIJHEIDSSTRIJDERS'**: de teloorgang van de Coornhert-Liga.
THOMAS BERNHARD EN DE GROTE ELLENDE. **06-0224646**

DE GROENE AMSTERDAMMER

HET STUDENT REBELLEERT. **06-0224222**
Alles over de grootste academische **ACTIE** van na de oorlog. Vooruitstrevend schilderen in **LENINGRAD**. Profiel: Walter **BENJAMIN**. Charlotte **MUTSAERTS**. De krantenfusie: **COLLEGA'S**! Gooi het hele zaakje PLAT. Plus: **MACBETH**!

HAAGSE POST

HP DOSSIER: NACHTMERRIE '92. **020-243576**
Straks hebben we niets meer te zeggen. Dan is de **democratie** afgeschaft en worden we geregeerd door de **BRUSSELSE MAFIA**. De krant is van dezelfde uitgever, de **KRIMINAL-POLIZEI** waart overal, in Amsterdam is de WW even laag als op Sicilië. En Nederland? **DAT WORDT OPGEHEVEN.** En verder: **JERZY KOSINSKI** slaat terug, een interview. De strijd om **de dagbladen**. Sport: **FRANS HENRICHS** liefde voor **Zuid-Afrika**, en: Milieu in kleur op het **HORECABAL**.

DE TIJD

'LEUGENAAR'. Jeroen Brouwers rekent af met Hirohito-fan Rudy Kousbroek: 'Ongetalenteerde syndroomlijder'.
IJ-OEVERS. Amsterdam wil aan het water groots bouwen. Jim Schilder doet bezorgd de ronde.
AGRESSIE IN DE KLAS. Leerlingen bedreigen hun leraren. 'Jou kom ik nog wel eens tegen in de metro'.
STADSNAR. Edzard Mik interviewt Luc Deleu: de architect als stadsnar. 'Banaliteit heeft ook charme'.

OPINIE

NIEUWE BETA

MAANDBLAD VOOR SCHONE TECHNOLOGIE.
THEMA: Warmtekrachtkoppeling. WARMTEKRACHT, gediscrimineerd, maar toch succesvol. SCHOOLVOORBEELD, industriële warmtekracht in Delfzijl. En verder ondermeer: Een hekje van ƒ 100 miljoen om het reservaat. Wat nu met het milieu, PRESIDENT BUSH? Weg met de vrije landbouwmarkt. NU TE KOOP BIJ UW KIOSK ƒ 4,-, of neem een abonnement voor ƒ 40,- per jaar. **NOVEMBER**

onze Wereld

WIE IS ER BANG VOOR TIEN MILJARD MENSEN?
De bevolkingsexplosie: ramp of angstdroom? **Verder**: voorpublikatie uit de bundel van de nobelprijswinnaar Nagieb Mahfoez. **Reportage**: Bangladesh. **Interview**: Sjef Theunis. En Mr. Theo van Boven over de mensenrechten.
Bel gratis 06-0220660 voor een abonnement.

CULTUUR

OOR

HET GROTE PLATENNUMMER. **06-0224646**
Het grote platennummer: een reis om de wereld in 80 platen. Met speciale tracks van ondermeer Bluesgigant Muddy Waters, the **Led Zeppelin-story**, **Claw Boys Claw** en de Nederbeat, nostalgie met Motown's Martha & the Vandellas en **Wire & Nasmak**. Nu overal te koop voor ƒ 4,95. **Nr. 23**

WETENSCHAP

NATUUR & TECHNIEK wetenschap en samenleving

IS HET HIV GEEN AIDSVIRUS? **043-254044**
HOOGSPANNING.... tot in uw t.v.! **DE LEVER** is de poortwachter van ons lichaam. **VERTALEN** gaat steeds meer en beter via computers. Communiceren met **FOTONEN** in plaats van elektronen. Hoe is het **KLIMAAT** te verbeteren in een varkensstal? De **BIOTECHNOLOGIE** op zoek naar koolhydraten. **Nr. 11**

LIFESTYLE

ELEGANCE

FEESTNUMMER. In de nieuwe Elegance zit een **grote verrassing**. In samenwerking met Maison de Bonneterie geeft Elegance **100.000 cadeaus** weg. **Gratis**. Als u Elegance koopt heeft u absoluut recht op één van die 100.000 cadeaus. **06-0224646**

En de Elegance? Behalve met cadeaus zit deze waardevolle editie vol met **feestelijke reportages** over alles wat december zo aangenaam maakt. Overal te koop voor ƒ 8,85. **Nr. 12**

NOUVEAU

EXTRA KERSTBIJLAGE: Mode, Menu's, Interieurs - in de bijzondere sfeer van Schotland. Gezellige dagen met Nouveau: Flonkerende sieraden, Speciale Cosmetica, Kerstkransen maken, Zoute koekjes van kwarkdeeg, Kerstserviezen, Schulpvormig avondtasje, Truien met lurex en angora etc. **DEC.**

VT WONEN
woonideeënblad

EXTRA: GRATIS KUNSTDRUKKEN om meteen in te lijsten. 10% korting op eethoeken en serviezen bij Habitat. Persoonlijke werkhoeken. Stoelen: groot & klein. Vitrinekasten om zelf te maken. Hypotheek op maat. Binnenkijken in sfeervol winterhuis. Utrecht-reportage. **DECEMBER.**

MODE

MARION

SCHITTERENDE WINTERSPORTMODE IN LICHTGEVENDE STOFFEN. Voor de sfeervolle kerstdagen, romantische modellen met kraagjes en kragen. Verder een praktische combinatie uit een lap stof. Warme winterkleren, de actuele streepjes en bijzondere belijningen. **DECEMBER**

OPVOEDING

OUDERS VAN NU

DROOMKLEERTJES VOOR SLAAPKOPPEN. DE PATRONEN ZIJN GRATIS. Met een ontroerend zwangerschapsdagboek. Het eerste jaar uit baby's leventje in beeld gebracht. Aandacht voor de decembermaand en 15 verzorgings- en verwentips voor bijna-moeders. **DEC.** **030-822511**

AUTOMATISERING

COMPUTABLE

DEZE WEEK: MAI Basic Four 'chairman' Bennet LeBow heeft vorige week een als omstreden ervaren bod uitgebracht op de aandelen van PRIME. Er bestaan twijvels, maar MAI spreekt van een 'natural fit' **PTT-TOPMAN WIL NAAR BEURS.** De nieuwe topman van PTT Nederland is van mening dat een beursnotering voor de PTT duidelijke voordelen zou bieden.
COMPUTABLE PRODUKT-INFO staat dit keer in het teken van IBM's AS/400-lijn.
Vraag een proefnummer aan 020-5102878

F

aanzetten
de achtergrond-informatie
de actie
allerlei
de ambtenaar
zich amuseren
het artikel
het beeld
belangrijk
bepaald
de beslissing
de bespreking
de betrekking
bieden
bijna
binnenkomen
het blad
de boel
— een boel
bovendien
de buschauffeur
het colloquium
het commentaar
het conflict
het congres-secretariaat
de crisis
cultureel
het dagblad
depressief
duidelijk
economisch
eigen
eisen
etnisch
Europees
het familieblad
favoriet
de foto
Frans
gauw
gebeuren
gelijk
— gelijk hebben
gepast
de gezondheid
de groep
het hobbyblad
inderdaad
de integratie
het jazzfestival
de kans
kennen
de kiosk
de krant
de krantekop
de krantenwinkel
de kritiek
lastig
de lezer
lijken
de media (mv)
menen
de mening
de migrant
het milieuprobleem
de minderheidsgroep
de minister
het ministerie
net
het nieuws
het onderwijs
de oorlog
de opgave
het opinieblad
de oplossing
opnieuw
opschieten
de orde
— aan de orde komen
de organisatie
organiseren
de participatie
de politie
de postbus
het principe
— in principe
professioneel
het protest
de protestactie
de raad
de radio
de radionieuwsdienst
rijden
het roddelblad
het sensatieverhaal
serieus
de situatie
het slot
— tot slot
— ten slotte
staken
de staking
tamelijk
terecht
— terecht kunnen bij
het thema
het tijdschrift
de titel
vaak
het vakblad
de vakbond
vast
de verscheidenheid
verschijnen
verschillend
verzorgen
de voertaal
vooral
het voorbeeld
de vrede
waarom
wekelijks
de werktijd
de winkelier
zogenaamd

10 Wat vind jij?

A 1 Een gesprek over computers

Mieke Rosier	Zeg, mag ik je even iets vragen? Jij weet toch veel van computers, hè?
Hetty Kroon	Nou, nee hoor, dat is niet zo. Ga je een computer kopen?
Mieke Rosier	Ja, ik heb een goedkope aanbieding in de krant gezien.
Hetty Kroon	Wat voor computer is het?
Mieke Rosier	O, het is een heel eenvoudig apparaat met twee discdrives en een kleurenmonitor voor f 2000,–.
Hetty Kroon	Nieuw?
Mieke Rosier	Nee, tweedehands.

Hetty Kroon	Moet je niet doen.
Mieke Rosier	Nee? Waarom niet?
Hetty Kroon	Veel te duur, joh.
Mieke Rosier	Ja? Nou, dat denk ik niet, hoor.
Hetty Kroon	Ja, kijk, je moet het natuurlijk zelf weten, maar volgens mij kun je zoiets veel goedkoper krijgen.
Mieke Rosier	Denk je dat echt?
Hetty Kroon	Ja joh. En waarom neem je geen harddisc?
Mieke Rosier	Vind je dat beter?
Hetty Kroon	O beslist, veel meer mogelijkheden, hè?
Mieke Rosier	Ja, dat is waar. Maar ik gebruik hem hoofdzakelijk voor mijn administratie.
Hetty Kroon	Ja, maar over een tijdje kom je ongetwijfeld wat beters tegen.
Mieke Rosier	Dus je vindt dat ik het niet moet doen?
Hetty Kroon	Nee, wacht rustig af.
Mieke Rosier	Nou, dan wacht ik nog maar even. Bedankt voor je advies.

Aangeven dat je wat gaat zeggen

Zeg	— Zeg, mag ik je even iets vragen? — Natuurlijk!
Ja **Kijk**	— Vind je de computer te duur? — Ja, kijk, je moet het natuurlijk zelf weten.
Nou	— Wacht rustig af. — Nou, dan wacht ik nog maar even.

Iemand tegenspreken

Nee, ... **Dat is niet waar.**	— Is de computer nieuw? — Nee, tweedehands.
Dat klopt niet. **Dat is niet zo.**	— Jij weet toch veel van computers, hè? — Nou, nee hoor, dat is niet zo.
Dat denk ik niet. **Ik ben het niet met je eens.**	— De computer is veel te duur. — Dat denk ik niet, hoor.

2 Een interview met een filmproducent

Filmproducent Rob Houwer

Interviewer	In de studio zit Rob Houwer, Nederlands beroemdste filmproducent. Meneer Houwer, wat vindt u van de grote belangstelling voor de videocamera?
Rob Houwer	Ik vind dat een goede ontwikkeling. Het is een teken dat mensen het filmvak leuk vinden.
Interviewer	U hebt zelf een aantal bekende films gemaakt, zoals Turks Fruit, Keetje Tippel en Soldaat van Oranje. Denkt u dat de videofilmers concurrenten van u gaan worden?
Rob Houwer	Nee, absoluut niet. Voor het maken van een goede film of video heb je talent nodig en lang niet iedereen heeft talent.
Interviewer	U gelooft niet dat er nu ineens veel nieuwe filmproducenten bijkomen?
Rob Houwer	Dat denk ik niet, nee. Maar ik vind het wel leuk dat zoveel mensen het filmvak ontdekken. Dan leren ze meteen dat het maken van een film heel moeilijk is. Tegen jonge filmers zeg ik altijd: maak eerst een video.
Interviewer	Waarom vindt u dat belangrijk?
Rob Houwer	Omdat je door het maken van een video veel ervaring krijgt.
Interviewer	U bent dus niet bang voor de concurrentie van videofilmers, begrijp ik?
Rob Houwer	Nee, integendeel. Als er meer videofilmers komen, wordt de belangstelling voor het echte filmvak juist groter.
Interviewer	Dank u voor dit gesprek.
Rob Houwer	Graag gedaan.

Naar: Filmproducent Rob Houwer: 'Welkom, videofilmers!' *Raf magazine 2*, Amsterdam, 1988.

Vragen naar een mening

Wat vindt u/vind je van ...?
Denkt u/Denk je (niet) dat ...?
Gelooft u/Geloof je (niet) dat ...?
Vindt u/Vind je (niet) dat ...?

— Meneer Houwer, wat vindt u van de grote belangstelling voor de videocamera?
— Ik vind dat een goede ontwikkeling.

— Denkt u dat de videofilmers concurrenten van u gaan worden?
— Nee, absoluut niet.

— U gelooft niet dat er nu ineens veel nieuwe filmproducenten bijkomen?
— Dat denk ik niet, nee.

— Waarom vindt u dat belangrijk?
— Omdat je door het maken van een video veel ervaring krijgt.

Samenvatten

Dus

— Dus je vindt dat ik het niet moet doen?
— Nee, wacht rustig af.

— U bent dus niet bang voor de concurrentie van videofilmers, begrijp ik?
— Nee, integendeel.

C o-o 3 Meer televisie kijken, minder lezen

Interviewer	Nederlanders kijken steeds meer televisie en lezen minder. Dat is de conclusie uit een onderzoek van de heren Kalmijn en Knulst. Wij hebben een gesprek met de heer Kalmijn. Meneer Kalmijn, wat hebt u precies onderzocht?
De heer Kalmijn	Wij hebben gekeken naar het gebruik van kranten, tijdschriften, boeken, televisie en radio bij Nederlanders van twaalf jaar en ouder.
Interviewer	En wat zijn de resultaten?
De heer Kalmijn	Ja, dat hebt u eigenlijk al gezegd. We hebben vastgesteld dat Nederlanders steeds

meer tv kijken, terwijl de belangstelling voor het lezen afneemt.

Interviewer	Geldt dat voor alle Nederlanders?
De heer Kalmijn	Eigenlijk wel, ja. Maar vooral bij jongeren hebben we een toename in het tv kijken geconstateerd.
Interviewer	Hoe komt dat volgens u?
De heer Kalmijn	Ik denk dat er drie oorzaken zijn. In de eerste plaats heeft Nederland kabeltelevisie gekregen. In de tweede plaats zijn er meer kanalen bij gekomen. En ten derde hebben veel mensen tegenwoordig een videorecorder. De gelegenheid om televisie te kijken is daardoor veel groter geworden.
Interviewer	Denkt u dat mensen op den duur nog meer televisie gaan kijken?
De heer Kalmijn	Nee, ik geloof dat de interesse voor de televisie over enige tijd wel weer daalt.
Interviewer	Waarom denkt u dat?
De heer Kalmijn	Omdat het met de belangstelling voor radio, grammofoon, bioscoop en stripboeken net zo gegaan is. Die hebben een tijd lang veel aandacht gekregen, maar later is de belangstelling weer afgenomen. Volgens mij gaat het met de televisie net zo.
Interviewer	Dank u wel voor dit gesprek.
De heer Kalmijn	Graag gedaan.

Een mening geven

Ik denk dat ...
Ik geloof dat ...
Volgens mij ...
Ik vind dat ...

— Hoe komt het dat mensen meer tv kijken en minder lezen?
— Ik denk dat er drie oorzaken zijn.

— Denkt u dat mensen op den duur nog meer televisie gaan kijken?
— Nee, ik geloof dat de interesse voor de televisie over enige tijd wel weer daalt.

— Kijk, je moet het natuurlijk zelf weten. Maar volgens mij kun je zo'n computer veel goedkoper krijgen.
— Denk je echt?

De samengestelde zin

Hoofdzin + hoofdzin
Voor het maken van een goede film of video heb je talent nodig *en* lang niet iedereen heeft talent.
Die hebben een tijd lang veel aandacht gekregen, *maar* later is de belangstelling weer afgenomen.

Hoofdzin + bijzin
Ik vind het leuk *dat zoveel mensen het filmvak ontdekken.*
Nederlanders kijken steeds meer tv, *terwijl de belangstelling voor het lezen afneemt.*

Bijzin + hoofdzin
Als er meer videofilmers komen, wordt de belangstelling voor het echte filmvak juist groter.

Woordvolgorde: de bijzin

		Onderwerp	*Rest*	*Werkwoord*
Ik vind het leuk	dat	veel mensen	het filmvak	ontdekken.
Ze kijken meer tv,	terwijl	ze	minder	lezen.
Ze leren	dat	filmen	heel moeilijk	is.
Denkt u	dat	mensen	meer televisie	gaan kijken?

PHILIPS
RADIOCASSETTE-RECORDER
- tandem soundmachine
- 2x4 Watt
- FM - MG - LG ontvangst
- dubbeldeck
- 4 luidsprekers

199,-

Electrolux

STOFZUIGER
- vermogen 1100 Watt
- electr. zuigkrachtregeling
- automatische oprolsnoer
- diverse hulpstukken

299,-

GASFORNUIS K 5400
- 4 gasbranders
- 2-delige pandragers
- opberglade
- dubbel geïsoleerd
- ovendeur met rem

599,-

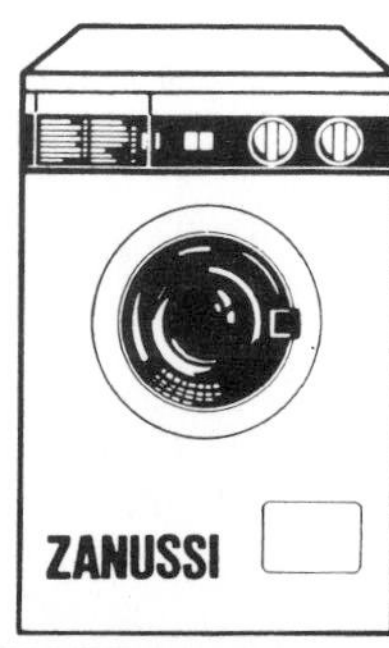

WASAUTOMAAT
- 1000 t.p.m. centrifuge
- 24 programma's
- 4,5 kg vulcapaciteit
- RVS interieur

1098,-

SONY

WALKMAN
- tape selector
- autostop
- met hoofdtelefoon

59,-

TEFAL

STRIJKIJZER
- droog/stoomijzer
- controlelampje

59,95

Pelgrim

DROOGTROMMEL
- droogtrommel met schakelklok
- RVS trommel/kuip
- 4,5 kg. vulcapaciteit
- draait links en rechtsom

799,-

JVC

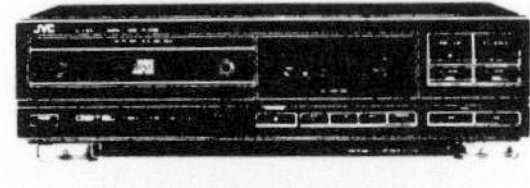

COMPACTDISCSPELER
- 3-straals laser
- digitaal filter
- geschikt voor CD-single
- 32 nummers
- programmeerbaar

499,-

SHARP

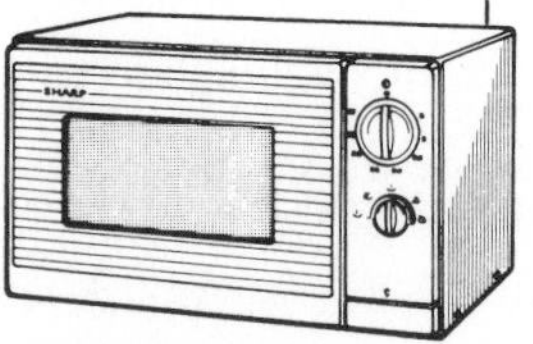

MAGNETRONOVEN
- 600 Watt vermogen
- 19 liter inhoud
- 45 minuten timer
- 5 standen

499,-

GASSTEL
- 4 gasbranders
- 2-delige pandragers
- afdekplaat

359,-

SHARP

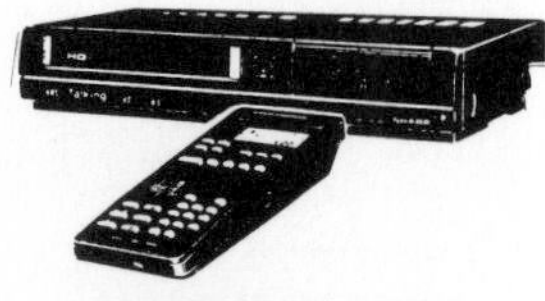

VIDEORECORDER VCT 310
- HQ VHS systeem
- LCD "sprekende" afstandbediening
- 60 kanalen
- 8 programma's, 365 dagen
- 3 zoeksytemen
- kinderslot

1198,-

SONY

STEREO-INSTALLATIE
- FM-MG ontvangst
- dubbel cassettedeck
- programmeer bare CD speler
- inclusief boxen

999,-

KLEURENTELEVISIE
- 55 cm (51 cm effectief) flat square beeldbuis
- teletekst
- 40 voorkeurzenders
- afstandbediening

1298,-

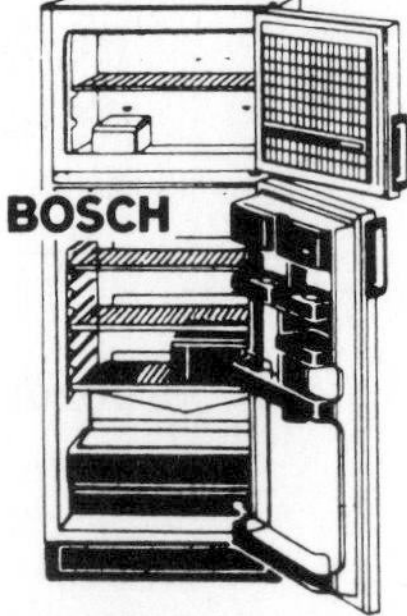

KOELKAST
- 256 liter totale inhoud
- 67 liter vriezer
- volautomatische ontdooiing

899,-

E 5 TV Nederland

NEDERLAND 1

KRO
18.15 Kruispunt TV, magazine. ★
NOS
19.00 Journaal.
KRO
19.21 Volmaakte vreemden, comedyserie.
19.48 Waku waku, spelshow. Met: Carl Huybrechts, Willem van Hanegem, Gregor Frenkel Frank, Silvia Millecam, Hans Böhm en Eric van Muiswinkel.
21.12 (TT) In therapie, informatieve serie over de toepassing van psychotherapie. Vanavond: De zaak van de man die teveel drinkt.
21.45 Brandpunt, actualiteiten en achtergrondinformatie. ★
NOS
22.30 Journaal.
KRO
22.45 In 't holst van de nacht, politieserie.
EO
23.35 (ZW) Maarten Luther (Kerkhervormer), speelfilm van Irving Pichel uit 1953. Met: Niall Mac Ginnes, John Ruddock, Guy Verney e.a.
01.06 Einde.

NEDERLAND 2

TROS
18.00 Bassie en Adriaan en de verzonken stad, 9-delige jeugdserie.
18.30 (S) TROS Popformule, popprogramma.
19.05 Linda, trendy en life-style magazine.
NOS
20.00 (TT) Journaal.
TROS
20.29 Ron's Honeymoon quiz.
22.10 Jongbloed & Joosten, gevarieerd binnen- en buitenlands nieuws. Gasten: Freek de Jonge en Julius Vischjager, hoofdredacteur van de Daily Invisible. ★
22.45 TROS Jubileumfilm: The jewel of the nile, Amerikaanse speelfilm uit 1985 van Lewis Teague. Met: Michael Douglas, Kathleen Turner, Danny DeVito e.a.
NOS
00.36 Journaal.

NEDERLAND 3

NOS
18.00 Paspoort Pasaport), magazine in het Turks en het Nederlands.
18.30 Sesamstraat.
18.45 (TT) Jeugdjournaal.
18.55 Het Klokhuis, kinderprogramma.
19.10 Graaf Duckula, tekenfilmserie.
19.35 Leontyne, serie documentaires over de belevenissen van een bemanning aan boord van de Leontyne, een schip dat in zeven maanden via de Theems in Engeland en het Kanaal naar Wenen voer. Afl. 5.
20.00 Journaal.
20.20 Jimmy's, wekelijks verslag van de belevenissen in het grootste streekziekenhuis van Engeland.
20.44 Honderd meesterwerken, internationale serie over honderd bijzondere schilderijen. Vandaag: Salome van Franz von Stuck.
20.54 Jessye Norman zingt Carmen, documentaire over de opname van deze opera. ★
21.51 De dames gaan stappen, Engelse animatiefilm uit 1986 van Joanne Quinn.
22.00 NOS-Laat, actueel magazine. ★
22.45 Nieuws voor doven en slechthorenden.

o-o 6 Radionieuwsdienst ANP

F

de aandacht
het aantal
absoluut
de administratie
het advies
afnemen
afwachten
het apparaat
bang
begrijpen
beroemd
beslist
de cassetterecorder
de compactdisc-speler
de computer
de conclusie
de concurrent
de concurrentie
constateren
daardoor
dalen
de discdrive
de droogtrommel
de duur
— op den duur
eenvoudig
de ervaring
filmen
de filmer
de filmproducent
het filmvak
de folder
het gasfornuis
het gasstel
het gebruik
gebruiken
gelden
de gelegenheid
geloven
de grammofoon
de harddisc
de heer
hoofdzakelijk
ineens
integendeel
het interview
de interviewer
de jongere
juist
de kabeltelevisie
het kanaal
de kleurenmonitor
de kleurentelevisie
de koelkast
later
de magnetronoven
moeilijk
de mogelijkheid
het onderzoek
onderzoeken
ongetwijfeld
ontdekken
de ontwikkeling
de oorzaak
het resultaat
rustig
steeds
de stereo-installatie
de stofzuiger
het strijkijzer
het stripboek
de studio
het talent
tegenkomen
tegenwoordig
het teken
de toename
de tv
tweedehands
vaststellen
de video
de videocamera
de videofilmer
de videorecorder
de walkman
de wasautomaat

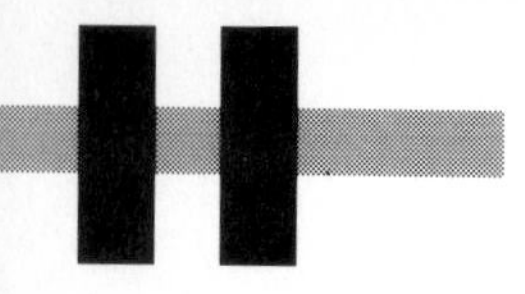

Daar ben ik tegen

A 1 Gesprek met een politicus

Op een bijeenkomst van een politieke partij stelt een journalist aan meneer Wubbels, die een lezing heeft gehouden, een paar vragen.

Journalist — Er is pas een enquête gehouden over de hulp van Nederland aan de derde wereld. De meeste mensen vinden dat Nederland genoeg steun geeft aan de derde wereld. Wat vindt u ervan?

De heer Wubbels — Daar ben ik het niet helemaal mee eens. Ik vind dat we de hulp nog wel wat kunnen vergroten.

Journalist — Maar betekent dat niet dat we in Nederland nog meer moeten bezuinigen?

De heer Wubbels — Ja, volgens mij zijn er nog wel enkele posten waarop we kunnen bezuinigen.

Journalist — Waar denkt u dan aan?

De heer Wubbels — Dan denk ik met name aan de bewapening.

Journalist — In de enquête stond ook een vraag over de besteding van het geld.

De heer Wubbels — Waarover?

Journalist — Over de besteding van het geld, dat wil zeggen: wat doet de Nederlandse overheid ermee? Ongeveer 40% van de mensen vindt dat het geld goed wordt besteed. Wat is uw reactie daarop?

De heer Wubbels — 40% vind ik erg weinig. Daar moet de regering maar eens over nadenken.

Waar/daar/er + voorzetsel

— De enquête gaat over hulp aan de derde wereld.
— Waarover? Waar gaat de enquête over?

— Dan denk ik met name aan de bewapening.
— Waaraan? Waar denkt u aan?

— Bent u het met dat standpunt eens?
— Ja, ik ben het ermee eens. Daar ben ik het mee eens.

Hij vertelt over de hulp van Nederland aan de derde wereld.
Hij vertelt erover. Daar vertelt hij over.

B 2 Nederland: democratie en monarchie

Nederland is een parlementaire democratie. Dat betekent dat er een parlement is. Het parlement bestaat uit twee 'kamers': de Eerste Kamer (75 leden) en de Tweede Kamer (150 leden). In het parlement worden de beslissingen democratisch genomen, dat wil zeggen: de meerderheid van de leden beslist. De Eerste Kamer heeft een soort controlefunctie voor de Tweede Kamer.
Democratisch betekent bovendien dat er verschillende politieke partijen zijn. Aan de tweede-kamerverkiezingen van 1989 deden 25 partijen mee. Negen partijen zijn in de Tweede Kamer gekomen. De drie grootste partijen zijn: CDA, PVDA en VVD. Voor de verkiezingen hebben alle partijen verkiezingsprogramma's gemaakt. Daarin staan hun standpunten over allerlei zaken.
Nederland is niet alleen een parlementaire democratie, maar ook een constitutionele monarchie: de rechten en plichten zijn geregeld in een grondwet en de koning(in) is het staatshoofd.

Zitting van de Tweede Kamer

3 Uitslag tweede-kamerverkiezingen 1989

	percentage	stemmen	zetels
CDA	35,3	3141157	54
PvdA	31,9	2833266	49
VVD	14,6	1296049	22
D66	7,9	700863	12
Groen Links	4,1	361274	6
SGP	1,9	166662	3
GPV	1,2	109570	2
RPF	1,0	85225	1
Janmaat	0,9	81215	1
Overige	1,2	116227	–

CDA christen democratisch appèl

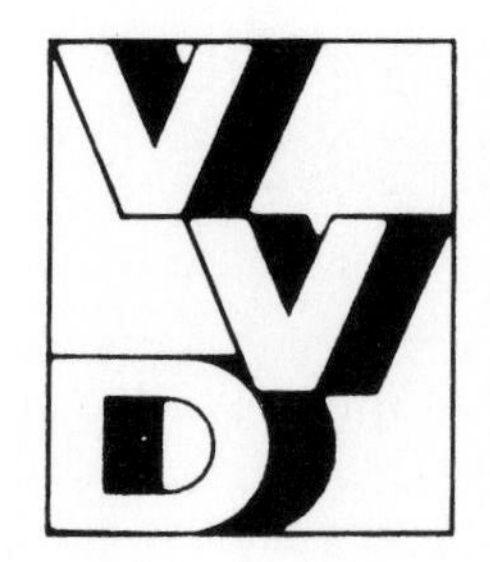

GROEN LINKS

Uit: *Latijns Amerika*

Nadruk geven

met name	— Waar denkt u dan aan? — Dan denk ik met name aan de bewapening.
vooral	Die journalist heeft vaak interviews, vooral met politici.

C o-o 4· Gesprek met een activiste

Nederland heeft niet alleen veel politieke partijen, maar ook veel actiegroepen. Ineke Peters is lid van zo'n actiegroep.

Journalist	Ineke, jij bent lid van de actiegroep 'Brandnetel'. Wat is 'Brandnetel'?
Ineke Peters	'Brandnetel' is een milieugroep.
Journalist	Waar protesteren jullie tegen?
Ineke Peters	Nou, wij protesteren onder andere tegen het gebruik van de auto.
Journalist	Wat voor soort acties voeren jullie?
Ineke Peters	O, onze acties zijn meestal grappig. Zo proberen we op te vallen en de mensen aan het denken te zetten.
Journalist	Kun je een voorbeeld geven?
Ineke Peters	Ja, we hebben pas geprotesteerd tegen het grote aantal auto's in ons land. We zijn naar een grote autotentoonstelling gegaan. En daar hebben we actie gevoerd. Ik was toen boom.
Journalist	Boom?
Ineke Peters	Ja kijk, omdat er zoveel auto's zijn, komt er zure regen en daardoor gaan de bomen dood. Andere mensen lagen op de grond, met tomatenketchup op hun gezicht.
Journalist	Hoezo?
Ineke Peters	Nou, de auto's veroorzaken namelijk ook veel verkeersslachtoffers.

Journalist Jaja.
Ben jij ook voor harde acties, bijvoorbeeld auto's kapot maken?

Ineke Peters Nee, daar ben ik tegen. Ik ben tegen geweld.

Journalist Bedankt voor dit interview.

Ineke Peters Nou, graag gedaan.

Protestactie Auto-Rai.

Voor of tegen iets zijn

Ik ben voor ...	— Ben je voor acties? — Ja, daar ben ik voor.
Ik ben tegen ...	— Ben je voor geweld? — Nee, ik ben tegen geweld.

Een voorbeeld geven

onder andere	— Waar protesteren jullie tegen? — We protesteren onder andere tegen het gebruik van de auto.
bijvoorbeeld	— Ben je ook voor harde acties, bijvoorbeeld auto's kapot maken? — Nee, daar ben ik tegen.

Iets verduidelijken

namelijk
dat wil zeggen

— Sommige mensen speelden slachtoffer.
— Hoezo?
— De auto's veroorzaken namelijk ook veel verkeersslachtoffers.

— In de enquête stond ook een vraag over de besteding van het geld.
— Waarover?
— Over de besteding van het geld, dat wil zeggen: wat doet de Nederlandse overheid ermee?

D o-o 5 Meningen over politiek

Thérèse uit Duitsland
'Kijk, van de Nederlandse politici weet ik nog niet zoveel. Ik koop altijd een Duitse krant. Het is voor mij veel makkelijker iets over Duitse politici te lezen, want ik ken de personen. En ik kan ze ook nog plaatsen in hun partijen. Kijk, voor mij is de Nederlandse krant moeilijk te lezen, want ik weet niet welke persoon bij welke partij hoort, en welke ideeën die partijen hebben'.

Christine uit Engeland
'Stemmen vind ik absoluut belangrijk, zowel voor Nederlanders als voor de buitenlanders. Want als je geen stemrecht hebt, heb je ook geen recht om je mening mee te laten tellen. Ja, voor mij klopt het niet dat mensen in een land wonen en daar belasting moeten betalen, werken en al hun plichten doen, zonder dat ze het recht hebben om te stemmen'.

Rui Frederico uit Kaapverdië
'Ik woon al lang in Nederland en ik vind stemmen belangrijk. Toch weet ik niet veel van politiek. Er wordt zoveel gepraat. Dus stem ik maar op een christelijke partij, want ik ben een christen'.

Benji uit India
'Ik heb zin om te stemmen, maar ik kan niet kiezen, want ik vind geen enkele partij goed. Niet alleen hier maar ook in mijn eigen land.'

Liesbeth uit Nederland
'Ik stem altijd al op de VVD. Een grote partij heeft meer invloed dan een kleine. In Nederland zijn drie grote partijen. Daar moet ik tussen kiezen. De VVD heeft het beste programma.'

Naar: Joop Hart, *Filter. Verkiezingen*, Wolters-Noordhoff, Groningen 1986.

Een oorzaak noemen

omdat	Christine stemt, omdat dat belangrijk is.
	Omdat politiek belangrijk is, stemt Christine.
want	Benji stemt niet, want hij kan niet kiezen.

Omdat *verbindt een hoofdzin met een bijzin.*
Want *verbindt een hoofdzin met een hoofdzin.*

Woordvolgorde: de samengestelde zin

1 hoofdzin + hoofdzin

Eerste plaats	*Finiet werkw.*	*Onderwerp*	*Rest*		*Eerste plaats*	*Finiet werkw.*	*Onderwerp*	*Rest*	*Infiniet werkw.*
Morgen	stemt	Benji	niet,	want	hij	kan		niet	kiezen.
Benji	stemt		niet,	want	hij	kan		niet	kiezen.

2 hoofdzin + bijzin

Eerste plaats	*Finiet werkw.*	*Onderwerp*	*Rest*		*Onderwerp*	*Rest*	*Werkw.*
	Stemt	Benji	niet	omdat	hij	niet	kan kiezen?
Christine	stemt			omdat	politiek	belangrijk	is.

3 bijzin + hoofdzin

	Eerste plaats			*Finiet werkw.*	*Onderwerp*	*Rest*	*Infiniet werkw.*
	Onderw.	*Rest*	*Werkw.*				
Omdat	politiek	belangrijk	is,	stemt	Christine.		
Omdat	hij	niet	kan kiezen,	stemt	Benji	niet.	

E 6 Meer dan politiek alleen

Deze tekst komt uit een folder van de Jonge Democraten; dat is de jongerenorganisatie van Democraten '66 (een politieke partij).

Politiek lijkt soms erg saai. Politici nemen beslissingen die voor ons allemaal belangrijk zijn. Soms denk je dat ze alles voor je beslissen. Maar ook jij kunt je mening laten meetellen. Je kunt je aansluiten bij een politieke jongerenorganisatie.

Wat doet de JD?

De JD is een actieve vereniging. Voor nieuwe leden zijn er overal in het land introductieweekends. We organiseren excursies naar bijvoorbeeld de Tweede Kamer, maar ook naar het buitenland. Verder zijn er allerlei informatieve bijeenkomsten over milieu, democratisering, emancipatie en ieder ander onderwerp waar belangstelling voor is. Ook komen we enkele keren per jaar bijeen op een congres om te vergaderen. Daar nemen we standpunten in over allerlei onderwerpen. En dat gebeurt democratisch: ieder lid kan meepraten en meebeslissen. Tenslotte proberen we onze standpunten te verwezenlijken, bijvoorbeeld door overleg met de fracties in de Tweede Kamer. Maar we zijn geen actiegroep. We willen in de eerste plaats meer inzicht krijgen in de politiek.

F

de actiegroep
de activiste
de auto
de belasting
beslissen
besteden
de besteding
de bewapening
bezuinigen
de bijeenkomst
de boom
de buitenlander
christelijk
de christen
constitutioneel
de controlefunctie
de democratie
democratisch
doodgaan
Duits
de enquête
erg
het geweld
het gezicht
grappig
de grond
de grondwet
hoezo
horen bij
de hulp
de invloed
de journalist
de kamerverkiezing
de koning
de koningin
de lezing
makkelijk
meedoen
de meerderheid
meetellen
de milieugroep
de monarchie
nadenken
de naam
— met name
namelijk
opvallen
de overheid
het parlement
parlementair
pas
het percentage
plaatsen
de plicht
de politicus
het programma
protesteren
de reactie
het recht
regelen
de regen
de regering
het slachtoffer
de/het soort
het staatshoofd
het standpunt
stellen
de stem
stemmen
het stemrecht
de steun
de tentoonstelling
toen
de tomatenketchup
de uitslag
vergroten
het verkeers-
slachtoffer
de verkiezing
het verkiezings-
programma
veroorzaken
voeren
— actie voeren
de vraag
waaraan
waarop
waarover
de wereld
de zaak
de zetel
zetten
zowel
— zowel ... als

12 Mag ik jullie even onderbreken?

A 1 Op een feest

Alex	Neem me niet kwalijk, maar woon jij in Utrecht?
Bettie	Ja, dat klopt.
Alex	Ja, sorry dat ik even stoor.
Michel	O, dat geeft niet, hoor. Ga je gang.
Alex	Ik hoor net dat jij hier met de auto bent. Kan ik straks met je meerijden?
Bettie	Goed, maar waar woon je?
Alex	In de Tulpstraat, vlak bij het station.
Bettie	Ja, prima, daar kom ik toch langs.

Sylvia	Sorry jongens, mag ik jullie even onderbreken?
Michel	Jij altijd, Sylvia.
Sylvia	Ja, er staan allemaal lekkere hapjes op tafel. Nemen jullie?
Michel	Ja lekker, we nemen zo.

o-o 2 Een lastig gesprek

Dora Reitsma	U wilt me spreken over problemen op uw afdeling?
Wim Kaptein	Ja, ik vind dat het de laatste tijd niet goed gaat. Volgens mij is het zo dat ...
Dora Reitsma	Moment, met Dora Reitsma ... Sorry John, maar voordat je verder gaat ... Ik zit net midden in een belangrijk gesprek. Kan ik je zo even terugbellen? ... Oké ... ja ... doe ik ... dag lieverd ...
Dora Reitsma	Goed eh, waar waren we gebleven?

Iemand onderbreken

Neemt u/Neem me niet kwalijk, maar ...
Mag ik u/je even onderbreken?
Moment/Ogenblik!
Sorry, maar ...

— Neem me niet kwalijk, maar woon jij in Utrecht?
— Ja, dat klopt.

— Sorry jongens, mag ik jullie even onderbreken?
— Jij altijd, Sylvia.

— Volgens mij ...
— Moment, met Dora Reitsma.

— Sorry John, maar voordat je verder gaat ... Ik zit net midden in een belangrijk gesprek.

B 3 Op het postkantoor

Klant	Mag ik even iets vragen?
Lokettist	Moment meneer, ik ben even bezig!
Klant	Ik wil alleen even weten of ik hier een aangetekende brief kan halen.
Lokettist	Loket zeven, meneer.
Klant	Dank u wel.

o-o 4 Op een vergadering

Voorzitter	... Dus ik hoop dat de R.v.B. met het plan akkoord gaat. Dan kunnen we beginnen.
Aanwezige	Ik heb even een vraag.
Voorzitter	Een ogenblik graag, ik ben zo klaar.
Aanwezige	Ik wil alleen vragen wat u met R.v.B. bedoelt.
Voorzitter	R.v.B.? Raad van Bestuur.
Aanwezige	Dank u wel.
Voorzitter	Goed, dan kom ik nu bij het laatste punt ...

o-o 5 Bij een lezing

Spreker	... En daarom is het Taoïsme de grootste godsdienst in China.
Luisteraar	Ik wil graag iets vragen. Er zijn toch ook veel boeddhisten in China?
Spreker	Ja, dat komt zo. U moet me even laten uitspreken. Over het Boeddhisme ga ik het straks hebben.
Luisteraar	O, neemt u me niet kwalijk.

Het woord vragen

Mag ik (even) iets zeggen/vragen?
Ik heb (even) een vraag.
Ik wil graag iets zeggen/vragen.

— Mag ik even iets vragen?
— Moment meneer, ik ben even bezig!

— Ik heb even een vraag.
— Een ogenblik graag, ik ben zo klaar.

— Daarom is het Taoïsme de grootste godsdienst in China.
— Ik wil graag iets vragen. Er zijn toch ook veel boeddhisten in China?

Reactie op onderbreking

Moment/Ogenblik!
Ik ben zo klaar.
U/Je moet me even laten uitspreken.

— Mag ik even iets vragen?
— Moment meneer, ik ben even bezig!

— Ik heb even een vraag.
— Een ogenblik graag, ik ben zo klaar.

— Er zijn toch ook veel boeddhisten in China?
— Ja, dat komt zo. U moet me even laten uitspreken. Over het Boeddhisme ga ik het straks hebben.

C o-o 6 Tijdens de les

Docent	We gaan door met Oefening 3. Wie is er aan de beurt? Jorge?
Jorge	Nee, ik wil even iets vragen. Krijgen we vandaag geen test?
Docent	Ja, het is goed dat je dat zegt. Dat was ik vergeten. Dan doen we eerst de test en daarna gaan we verder met Oefening 3.
Irene	Mag ik nog iets vragen over de vorige les?
Docent	Natuurlijk, ga je gang.
Irene	Wat is een actiegroep?

Docent	Dat heb ik de vorige keer uitgelegd.
Irene	Ja, maar ik weet niet meer precies wat dat betekent.
Docent	Een actiegroep voert actie voor iets. Voor beter onderwijs, meer films op de televisie of voor een schoner milieu. Zijn er nog andere vragen? Nee? Dan beginnen we met de test.
Ibrahim	Neemt u mij niet kwalijk, maar ik heb toch nog een vraag.
Docent	Nou, zeg het maar.
Ibrahim	Kunnen wij niet eerst het huiswerk bespreken, voordat we de test maken?
Docent	Nee, geven jullie je huiswerk maar aan mij. Dan kijk ik het na, terwijl jullie de test maken. Daarna kunnen we het huiswerk bespreken.
Jorge	Hoeveel tijd hebben we voor de test?
Docent	Twintig minuten. Nadat ik de test heb uitgedeeld, kunnen jullie beginnen.

Iemand aan het woord laten

Wie is er aan de beurt?	— Wie is er aan de beurt? Jorge? — Nee, ik wil even iets vragen.
Gaat uw/Ga je gang.	— Mag ik nog iets vragen over de vorige les? — Natuurlijk, ga je gang.
Zegt u/Zeg het maar.	— Neemt u me niet kwalijk, maar ik heb toch nog een vraag. — Nou, zeg het maar.

Afhankelijke zinnen: vragen en weten

1 De afhankelijke vraag

a *Vraagwoordvragen: vragen/weten wie, wat, enzovoort*

Wat bedoelt u met R.v.B.?	Ik wil alleen vragen wat u met R.v.B. bedoelt.
Wie is John?	Ik weet niet wie John is.

b *Ja/nee-vragen: vragen/weten of*

Kan ik hier een aangetekende brief halen?	Ik wil alleen vragen of ik hier een aangetekende brief kan halen.
Woon je in Utrecht?	Ik wil weten of je in Utrecht woont.

2 De afhankelijke mededeling: weten dat

Ik ben niet tevreden over de gang van zaken.	Ik weet dat u over de gang van zaken niet tevreden bent.
Er zijn in China veel boeddhisten.	Iedereen weet dat er in China veel boeddhisten zijn.

Tijd: eerst ... dan, nadat, voordat en terwijl

1 Beschrijving van acties die niet op het zelfde moment gebeuren

Eerst eet ik een broodje, dan (daarna) schrijf ik een brief.
Ik eet een broodje, voordat ik een brief schrijf.
Nadat ik een broodje heb gegeten, schrijf ik een brief.

(Ook: Voordat ik een brief schrijf, eet ik een broodje.
Ik schrijf een brief, nadat ik een broodje heb gegeten.)

2 Beschrijving van acties die op hetzelfde moment gebeuren

Ik eet een broodje en schrijf een brief.
Terwijl ik een broodje eet, schrijf ik een brief.

(Ook: Ik eet een broodje, terwijl ik een brief schrijf.
Ik schrijf een brief, terwijl ik een broodje eet.
Terwijl ik een brief schrijf, eet ik een broodje.)

D

7 Het weer

Wolkenvelden en droog. In de ochtend mogelijk enkele mistbanken.
Middagtemperatuur rond 8 graden.
Zondag droog en kans op mist. Na het weekend meer wind en toenemende kans op regen.

8 Internationaal telefoneren

Automatisch internationaal telefoneren
Vrienden of familie in het buitenland? Of wilt u spreken met een zakenrelatie? Automatisch internationaal bellen is de snelle, makkelijke manier voor contact. En goedkoper dan u denkt!

Internationaal bellen gaat zo:
1 kies eerst het internationaal toegangsnummer 09 en
2 wacht dan op de kiestoon,
3 kies daarna het landnummer,
4 gevolgd door het netnummer en
5 ten slotte het abonneenummer.

eerst	dan	daarna	gevolgd door	en ten slotte
09	kiestoon	landnummer	netnummer	abonneenummer

9 Dit moet u doen bij brand

Al doet u nog zo uw best om brand te voorkomen, brand helemaal uitsluiten lukt nooit. Het is daarom belangrijk om ook bij brand te weten wat u moet doen.

Wat moet u doen bij brand?

1 Bel onmiddellijk 212121, het alarmnummer van de Brandweer.
2 Sluit alle ramen en deuren.
3 Zorg dat iedereen het huis verlaat en waarschuw uw medebewoners.
4 Is de brand nog klein, dan kunt u misschien zelf nog blussen.
5 Wacht de brandweer op en leg uit wat er precies aan de hand is.

E 10 Een fantastische bustocht

F

het abonneenummer
het akkoord
— akkoord gaan met
het alarmnummer
automatisch
bespreken
het bestuur
bezig
— bezig zijn (met)
blijven
blussen
het boeddhisme
de boeddhist
de brand
de brandweer
het buitenland
het contact
daarna
de deur
de docent
doorgaan
droog
de familie
de gang
— gaat uw/ga je gang
de godsdienst
de graad
het hapje
het huiswerk
internationaal
de jongen
de kiestoon
de klant
laatst
de lieverd
de luisteraar
de manier
de medebewoner
meerijden
de middag-
temperatuur
midden (in)
het milieu
de mist
de mistbank
mogelijk
nakijken
het netnummer
de oefening
onderbreken
onmiddellijk
opwachten
het plan
het postkantoor
prima
het punt
het raam
rond
schoon
schrijven
sluiten
de spreker
storen
het taoïsme
de test
tevreden
het toegangsnummer
toenemend
uitdelen
uitleggen
uitsluiten
uitspreken
de vergadering
vergeten
verlaten
vlak (bij)
volgen
de voorzitter
vorig
waarschuwen
de wind
het wolkenveld
de zakenrelatie
zorgen

13 Viel het mee of tegen?

A 1 Op zoek naar een kamer

Gerrit Keizer	Zeg, die kamer waar je het laatst over had, is dat nog wat geworden?
Theo de Zeeuw	In de Parnassiastraat, bedoel je? O nee, dat viel erg tegen.
Gerrit Keizer	Hoezo, was het een kleine kamer?
Theo de Zeeuw	Nou, dat viel nog wel mee, hij was vier bij vijf.
Gerrit Keizer	Was het een zolderkamer?
Theo de Zeeuw	Nee, het was een kamer op de begane grond, naast de keuken. Maar er was veel te weinig licht, vond ik.
Gerrit Keizer	En je had zeker geen douche?
Theo de Zeeuw	Ja, toch wel, ze hadden een soort douchecabine in de keuken gemaakt.
Gerrit Keizer	En die kamer lag naast de keuken? Dat is een voordeel.
Theo de Zeeuw	Ik vind het juist een nadeel. Je hoort dan alle geluiden uit de keuken.
Gerrit Keizer	Ja, daar heb je gelijk in. Hoeveel was de huur eigenlijk?
Theo de Zeeuw	450.
Gerrit Keizer	Belachelijk! Dat is toch veel te duur! Gas en licht inbegrepen?
Theo de Zeeuw	Ja, het was wel all-in, maar ik vind het ook te duur.
Gerrit Keizer	En nu?
Theo de Zeeuw	Ik ga maar weer verder zoeken. Weet jij toevallig niets?
Gerrit Keizer	Nee, al sla je me dood. Maar als ik wat weet, dan hoor je het meteen.

Positief beoordelen

Dat is een voordeel.

— En die kamer lag naast de keuken?
Dat is een voordeel.

Negatief beoordelen

Het valt tegen.
Het is een nadeel.

— Zeg, die kamer waar je het laatst over had, is dat nog wat geworden?
— O nee, dat viel erg tegen.

— En die kamer lag naast de keuken? Dat lijkt me een voordeel.
— Ik vind het juist een nadeel. Je hoort dan alle geluiden uit de keuken.

2 Bij de familie Kastelein in Almere

Interviewer	Wat vindt u nou zo leuk aan Almere?
Anja Kastelein	Nou, in de eerste plaats toch wel het huis, hè?
Henk Kastelein	Ja, dat was de reden waarom wij uit Amsterdam weg wilden.
Interviewer	Woonde u daar niet goed?
Henk Kastelein	Nee, kijk, Amsterdam is natuurlijk een leuke stad, maar wij hadden daar een kleine bovenwoning.
Anja Kastelein	Ja, altijd maar die trappen op, hè? Ja, we woonden daar drie hoog en toen we die kleine kregen, moest ik altijd met die wandelwagen op en neer.
Henk Kastelein	Dat was niet te doen op den duur. Dus toen we hier een benedenhuis konden krijgen, hebben we dat meteen gedaan.
Anja Kastelein	En Patrick vindt het ook het einde. Die kan hier lekker in de tuin spelen. En daar zette ik hem op het balkon.

Bezoek de premie-A-kijkwoning in

Almere-Buiten

Zaterdag bent u van 11.00 tot 15.00 uur welkom in onze kijkwoning van het type 9 aan de Sneeuwklokjesstraat 32 in Almere-Buiten. Een ideale woning in een ideaal woonplan met veel variatie.
Deze woning is een zogenaamde Vide-woning en is ruim en praktisch door z'n unieke ontwerp.
Vooral ook gezinnen zonder kinderen zullen zich thuis voelen in dit 'andere' wonen. De koopsommen zijn v.a. *f* 137.000,– v.o.n. De rente is 6.7 % vijf jaar vast. De subsidie is maximaal [illegible]

Interviewer	Dus u mist Amsterdam niet?
Henk Kastelein	Nee, niet echt.
Anja Kastelein	Helemaal niet, ik heb hier een mooie open keuken, een grote woonkamer, boven drie slaapkamers …
Interviewer	U hebt het ook leuk ingericht.
Anja Kastelein	Ja, dat is mijn man, hoor. Die is ontzettend handig. Hij heeft dat wandmeubel in elkaar gezet en die kasten in de keuken.
Henk Kastelein	Ja, wij hebben gezegd: alles nieuw. Dus we hebben een nieuwe leren bank gekocht en een nieuwe ronde tafel …
Anja Kastelein	Ja, alleen dat bureau hadden we ook al in het vorige huis.
Interviewer	U zou niet meer terug willen, begrijp ik?
Henk Kastelein	Nee, ik niet.
Anja Kastelein	O nee, voor geen goud!

De onvoltooid verleden tijd

1 De onvoltooid verleden tijd: stam + de(n)/te(n)

Stam + **te(n)**: als de stam eindigt op **-k, -p, -ch, -f, -s, -t ('t kofschip).**
Stam + **de(n)**: in de andere gevallen.

	maken	*kussen*	*stoppen*	*leren*	*spelen*
stam	maak	kus	stop	leer	speel
enkelvoud	maak**te**	kus**te**	stop**te**	leer**de**	speel**de**
meervoud	maak**ten**	kus**ten**	stop**ten**	leer**den**	speel**den**

Voor de onvoltooid verleden tijd van onregelmatige werkwoorden zie Appendix 3.

2 We gebruiken de onvoltooid verleden tijd om te vertellen over situaties uit het verleden.

Daarbij gaat het vaak om een **gewoonte** of om een **beschrijving**:
In Amsterdam moest ik altijd met de wandelwagen op en neer. Daar zette ik Patrick op het balkon. (Het gebeurde altijd, het was een gewoonte.)
Het was een kamer op de begane grond, naast de keuken. Maar er was veel te weinig licht. (Een beschrijving van de kamer.)
In Amsterdam hadden we een kleine bovenwoning. We woonden daar drie hoog. (Een beschrijving van de woning.)

C  3 Wonen

Donatella Longhi

In Italië woonde ik met mijn ouders in een klein huis. Het was een huis tussen de bossen. We hadden geen buren en dat vond ik heel leuk, want ik houd niet van buren. We hadden een grote tuin, en onze drie honden waren de hele dag buiten in de tuin aan het spelen.
Maar hier in Nederland is het heel anders. We hebben hier geen tuin en we wonen niet tussen bossen, maar tussen drie of vier snelwegen. We hebben buren links, rechts, boven, beneden. Maar omdat ik niet van buren houd, zoals ik net al zei, hebben we geen contact met ze.

Naar: *Mijn droom en andere verhalen*. Centrum voor Anderstaligen, Nieuwegein, 1984.

Craig Dijkstra

In het begin vond ik alles in Nederland heel klein. In Amerika heb je veel meer ruimte. Ik woonde daar op een boerderij en ons huis had minstens tien kamers. En nu woon ik op een studentenflat van twaalf vierkante meter! Ik...ik vind wel dat Nederlanders hun huis mooier inrichten dan Amerikanen. In het weekend ga ik vaak naar Gouda, daar woont mijn tante. Die heeft een hele goede smaak. Haar huis is een combinatie van antiek en modern. Zij heeft een marmeren vloer en een prachtige glazen tafel. Maar ook een notehouten kastje uit de achttiende eeuw met een paar zilveren kandelaars. Dat zie je bij ons niet zo veel. Daar maken ze alles van plastic of nylon. En als iets vijftig jaar oud is, noemen ze het al antiek.

Jaime Alcantara Portuguez

In Nederland vind ik alles zo grijs. Bij ons in Mexico zie je veel meer kleuren: rood, oranje, geel, paars, rose. Maar in Nederland is alles grijs. Of blauw of donkerbruin. Nederlanders zitten ook altijd binnen. Bij ons speelt het leven zich veel meer op straat af. Dat komt natuurlijk ook door het klimaat. Als het erg koud is, blijf je liever bij de kachel. Dat vind ik wel een voordeel van Nederland: bijna overal heb je centrale verwarming, in huizen, scholen en openbare gebouwen. In Mexico kan het ook heel koud zijn. Maar de meeste huizen hebben geen verwarming.

Oppervlakte aangeven

... bij ... (meter)	— Was het een kleine kamer? — Nou, dat viel nog wel mee, hij was vier bij vijf.
... vierkante meter (m^2)	— Nu woon ik op een studentenflat van twaalf vierkante meter.

Het bijvoeglijk naamwoord: glazen, gesloten, oranje, plastic

1 Bijvoeglijke naamwoorden op -en, zoals glazen, leren, open, gesloten.

Ze heeft een marmeren vloer en een prachtige glazen tafel. Maar ook een notehouten kastje uit de achttiende eeuw met een paar zilveren kandelaars.

2 Sommige kleuren en materialen, zoals rose, oranje, plastic, nylon.

Thuis heb ik een oranje stoel.
Hij drinkt niet graag wijn uit een plastic beker.
Je kunt beter je nylon jack aantrekken met die regen.

D 4 Handje kontantje

1000 m2 Kijk- en Snuffelplezier

Voor hele lage prijzen bij ons prachtige

NIEUW BIJ U IN DE BUURT !

bankstellen
wandkasten
eethoeken
salontafels
losse fauteuils
slaapkamers
matrassen
klein spul
lampen
kantoormeubelen

modern en klassiek van alles wat !

Deze week bij ons binnengekomen :

Rundlederen bankstel 3- zits + 2 fauteuils	nieuw 4250,-	bij ons	1250,-
Schitterende wandkast wengé wit met tv-bar		bij ons	875,-
Prachtig eiken bankstel 3 + 1 + 1, nieuwe kussens		bij ons	695,-
Auping ledikant 1 persoons verstelbare bodem		bij ons	195,-
Partij kantoorstoelen van alles wat		vanaf	20,-
Slaapkamerkasten 3 deurs		vanaf	195,-
Matrassen nieuw en gebruikt		vanaf	50,-
Schitterend wandmeubel 3 delig zwart/wit		bij ons	745,-
Mooi 2 delig wandmeubel zwart		bij ons	375,-
enz. enz.			

KOM SNEL KIJKEN.......... DE MOEITE WAARD!!!

"HANDJE KONTANTJE"

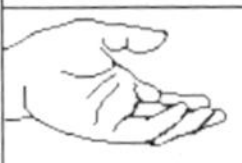

KOOPJESHAL

Bellamystraat 30 - 32 - 34 tel. 85 31 20
achter Kinkerstraat zijstraat ten Katemarkt
geopend dagelijks van 10.00 tot 17.00 uur.

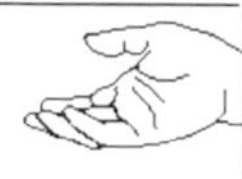

5 Onroerend goed en woonruimte te huur gevraagd/aangeboden

Onroerend goed en woonruimte te huur gevraagd

1 uit die vele duizenden. Waarom IK? Als u een kamer hebt in Amsterdam, BEL!!! 071-133541, en u krijgt antw.

2 academici zoeken zeer dringend woonruimte in A'dam.

2 Kunstenmakers zkn. woon/-werkr. Utr., opkn. geen bezw. (woekerpr. wel).

2 studenten zoeken met spoed in A'dam zelfst. woonr. tot *f* 700.

2e jaars VU-student Rechten zoekt woonruimte in A'dam.

3 academici + 1 student zoeken i.v.m. werk/studie 4/5 kam ...

Edith, verpleegkundige zoekt ETAGE in A'dam.

Geneesk. stud. zoekt zelfst. woonr. in A'dam, alleen niet N., W. of Z.O., met keuken, douche, wc. Huur ca. *f* 400 en overn. indien red., i.b.v. urg. ½ jr.

Gezocht etage v. 2 pers. in/nabij centr. A'dam, max. *f* 800,- incl. (evt. tijdelijk).

Gezocht per 1 maart 2 pers. app. in A'dam-C. of -O.Z., hr. tot *f* 1000.
vragen naar L. v. Raan.

HELP!!!! student 20 jr. zoekt m. spoed woonruimte ± *f* 350 ... pers. ...

Onroerend goed en woonruimte te huur aangeboden

Aang. 3 kam.won. A'dam.-W. Hr. *f* 300. Br. o. nr. 132-28449 bur. v.d. blad.

Te huur. De maanden april, mei en juni a.s. willen wij ons 2e huis gelegen op het mooie platteland van Twente verhuren. Bosrijke omgeving. Huurprijs *f* 600,- p.m. + energie-

T.h. 4 k.won. 2½ jr. urg.+ 1 kind vereist, overn. *f* 2.500. Hr. *f* 465.

T.h. in A'dam per 4/3 t/m 2/9 gestoff. kitchenette, douche, w.c., eig. opg., *f* 500 p.m. incl. Borg 1 mnd.

T.h. ... 1.60 x 3.30 ...

Per 15 maart uniek gelegen APPARTEMENTEN aan de Lochemseberg. Info appartement/hotel Bon Aparte, Lochemseweg

T.h. voor 5 of 6 maanden vrijstaand luxe gemeub. woonhuis in APELDOORN.

I.h.a. v. 15 mrt.-15 dec. luxe gemeub. huis met tuin, nabij A'dam-C. Ind.: beg. grond hal, 2 k., badk. 1e verd.: zitk., keuken. 2e verd.: badk., sl.k., *f* 1500 p.m. all-in. Inl. 165464.

Woonruimte aangeboden voor persoon die aktief wil ... aan projekt cen- ... 80

6 De Dapperstraat

Natuur is voor tevredenen of legen.
En dan: wat is natuur nog in dit land?
Een stukje bos, ter grootte van een krant.
Een heuvel met wat villaatjes ertegen.

Geef mij de grauwe, stedelijke wegen,
De in kaden vastgeklonken waterkant,
De wolken, nooit zo schoon dan als ze, omrand
Door zolderramen, langs de lucht bewegen.

Alles is veel voor wie niet veel verwacht.
Het leven houdt zijn wonderen verborgen
Tot het ze, opeens, toont in hun hoge staat.

Dit heb ik bij mijzelve overdacht,
Verregend, op een miezerige morgen,
Domweg gelukkig, in de Dapperstraat.

J.C.Bloem, 'Quiet though sad.'

F

zich afspelen
all-in
de Amerikaan
antiek
het balkon
het bankstel
begaan
— de begane grond
het begin
de beker
belachelijk
beneden
het benedenhuis
de bodem
de boerderij
het bos
de bovenwoning
buiten
het bureau
de buur
centraal
— de centrale verwarming
de combinatie
dagelijks
donkerbruin
doodslaan
— al sla je me dood
de douche
de douchecabine
driedelig
driedeurs
driezits
eenpersoons
de eethoek
de eeuw
eiken
het einde
— iets het einde vinden
de fauteuil
het gas
het gebouw
het geluid
gesloten
glazen
het goud
— voor geen goud
grijs
handig
de hond
hoog
— drie hoog
de huur
inbegrepen
inrichten
de kachel
de kandelaar
het kantoormeubel
de kantoorstoel
de kast
de keuken
het kijkplezier
klassiek
de kleur
het klimaat
de koopjeshal
koud
laag
de lamp
het ledikant
leren (bn)
het leven
het licht
los
marmeren
de matras
minstens
modern
de moeite
— de moeite waard (zijn)
het nadeel
neer
— op en neer
noemen
notehouten
het nylon
nylon
ontzettend
open
openbaar
oranje
de ouder
paars
het plastic
plastic
prachtig
de reden
rose
de ruimte
rundlederen
de salontafel
schitterend
de slaapkamer
de slaapkamerkast
de snelweg
het snuffelplezier
het spul
de stoel
de studentenflat
de tante
tegenvallen
terug
toevallig
de trap
tweedelig
verstelbaar
de verwarming
— de centrale verwarming
vierkant
de vloer
het voordeel
waard
— de moeite waard (zijn)
de wandelwagen
de wandkast
het wandmeubel
weg
wengé
de woonkamer
de zijstraat
zilveren
zoeken
— op zoek naar
de zolderkamer

14 Van harte beterschap!

A 1 Bij de huisarts

Dokter Mulder	Mevrouw Werner.
Margret Werner	Ja.

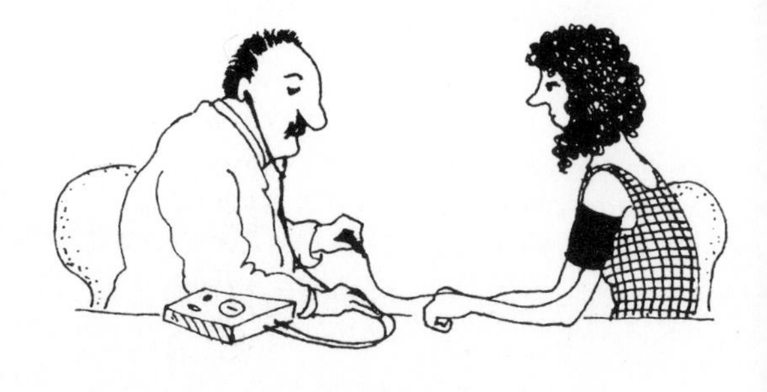

Dokter Mulder	Goedemorgen, mevrouw Werner.
Margret Werner	Dag dokter.
Dokter Mulder	Wat kan ik voor u doen?
Margret Werner	Ik heb de laatste tijd zo'n last van hoofdpijn. Ja, iedereen heeft natuurlijk wel eens hoofdpijn, maar dit is wel wat anders, want het gaat maar niet over. Daar maak ik me een beetje zorgen over.
Dokter Mulder	Hoe lang heeft u daar al last van?
Margret Werner	Een paar weken.
Dokter Mulder	Hebt u het de hele dag?
Margret Werner	Nee, vooral op mijn werk.
Dokter Mulder	Wat doet u voor werk?
Margret Werner	Ik werk op een kantoor. Ik zit regelmatig achter een computer.

Dokter Mulder	Bent u vaak verkouden?
Margret Werner	Af en toe.
Dokter Mulder	Last van duizeligheid?
Margret Werner	Nee.
Dokter Mulder	Hebt u moeite met lezen?
Margret Werner	Ja, af en toe.
Dokter Mulder	Dan zullen we eerst de bloeddruk eens meten .... Hm die is goed. Buig nu uw hoofd eens naar voren. Doet dat pijn?
Margret Werner	Nee, dat doet geen pijn.
Dokter Mulder	Ik denk dat u hoofdpijn heeft omdat uw ogen achteruitgegaan zijn. Waarschijnlijk heeft u een bril nodig.
Margret Werner	O, gelukkig.
Dokter Mulder	Hoezo?
Margret Werner	Nou, ik was bang dat het iets ernstigs was.
Dokter Mulder	Nee, daar lijkt het niet op. Ik zal u een verwijsbriefje voor de oogarts geven. Hoe bent u verzekerd, ziekenfonds of particulier?
Margret Werner	Ziekenfonds.
Dokter Mulder	Alstublieft.
Margret Werner	Dank u wel. Tot ziens dokter.
Dokter Mulder	Dag mevrouw Werner.

Verontrusting uitdrukken

Ik ben bang voor/dat ...	— Waar was u bang voor? — Ik was bang dat het iets ernstigs was.
Ik maak me zorgen over ...	— Wat kan ik voor u doen? — Ik heb zo'n last van hoofdpijn. Daar maak ik me zorgen over.

Pijn uitdrukken

Ik heb last van ... **Ik heb pijn in mijn ...**	— Heeft u last van duizeligheid? — Af en toe.
Het/dat doet pijn	— Doet dat pijn? — Nee, dat doet geen pijn.

2 Lichaamsdelen

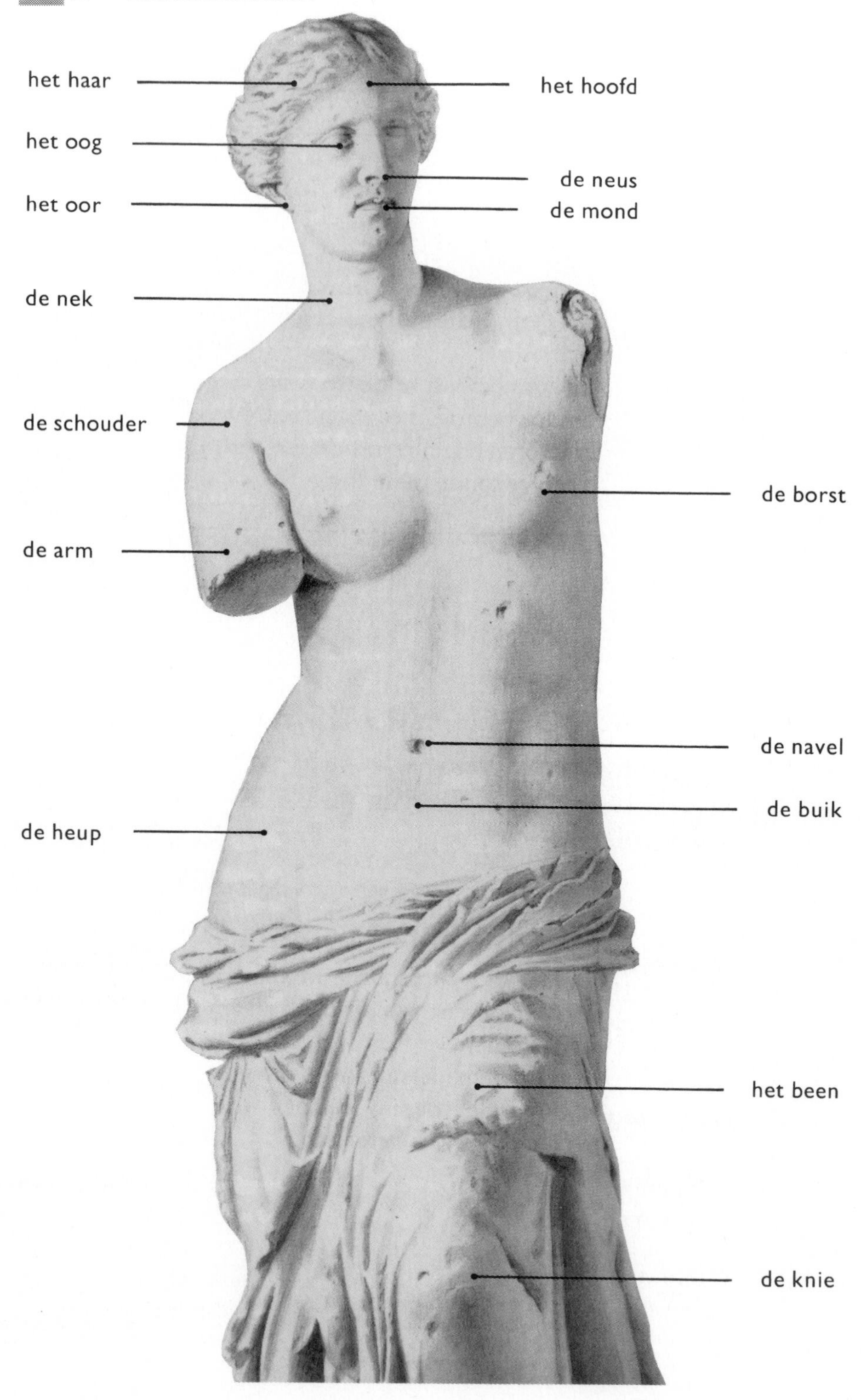

B 3 Een afspraak maken

Telefoniste	Polikliniek Sint Jan. Afsprakenbureau.
Margret Werner	Goedemorgen, met mevrouw Werner. Ik wilde een afspraak maken met dokter Lim, de oogarts. Hopelijk hoef ik niet al te lang te wachten?
Telefoniste	Het kan over twee weken.
Margret Werner	O, dat valt mee.
Telefoniste	Donderdagmiddag 14 april, kan dat?
Margret Werner	Ik kan nooit op donderdag. Zou het op een andere dag kunnen?
Telefoniste	Nee, het spijt me, dokter Lim heeft hier alleen spreekuur op donderdag.
Margret Werner	Nou, dan moet het maar op donderdag.
Telefoniste	Goed, dan noteer ik u voor donderdag 14 april, 15.00 uur. Kunt u uw naam nog een keer zeggen?
Margret Werner	Mevrouw Werner.
Telefoniste	Ik wil ook graag uw adres en telefoonnummer hebben.
Margret Werner	Draadzegge 33, Laren, telefoon 02153-91976.
Telefoniste	Dank u wel.

Opluchting uitdrukken

O, gelukkig.	— Waarschijnlijk heeft u een bril nodig. — O, gelukkig. Ik was bang dat het iets ernstigs was.
Dat valt mee.	— Het kan over drie weken. — O, dat valt mee.

4 Bij het ziekenhuis

Jeannette	Hé, hallo Michel, tijd niet gezien, zeg. Hoe gaat het ermee?
Michel	Goed, dank je.
Jeannette	En met Andrea?
Michel	Nou, niet zo goed. Ze ligt al een paar weken in het ziekenhuis.
Jeannette	O ja? Wat scheelt haar?
Michel	Ze heeft een ongeluk gehad. Ze ging even boodschappen doen op de fiets en toen heeft een auto haar aangereden. Die man keek niet goed uit.
Jeannette	Wat vreselijk! Wat had ze?
Michel	Een gebroken been en verder een flinke wond aan haar hoofd.
Jeannette	Nee! Wat hebben ze gedaan?
Michel	Ze hebben haar geopereerd en een plaat in het been gezet. Ze heeft heel veel pijn gehad.
Jeannette	Moet ze nog lang in het ziekenhuis blijven?
Michel	Ik hoop dat ze volgende week weer thuiskomt.
Jeannette	Wens haar in ieder geval beterschap van me.
Michel	Dat zal ik doen.
Jeannette	En jij ook het beste, Michel.
Michel	Bedankt. En de groeten aan Robert.
Jeannette	Zal ik doen. Dag.

Vragen naar een ziekte

Wat heeft u/heb je, enzovoort.

— Ze heeft een ongeluk gehad.
— O, wat vreselijk! Wat had ze?
— Een gebroken been en een wond aan haar hoofd.

Wat scheelt haar/hem?

— Andrea ligt al een paar weken in het ziekenhuis.
— O ja? Wat scheelt haar?

Het beste wensen

Van harte beterschap	— Wens haar in ieder geval beterschap van me. — Dat zal ik doen.
Het beste	— En jij ook het beste, Michel. — Bedankt.

Hoop uitdrukken

Ik hoop dat ...	— Moet Andrea nog lang in het ziekenhuis blijven? — Ik hoop dat ze volgende week weer thuiskomt.
Hopelijk	— Hopelijk hoef ik niet al te lang te wachten? — Het kan over twee weken. — O, dat valt mee.

Verslagenheid uitdrukken

Wat vreselijk! **Dat is vreselijk!** **Nee!**	— Andrea heeft een ongeluk gehad. — O, wat vreselijk! Wat had ze? — Een gebroken been en een wond aan haar hoofd. — Nee!

D 5 Ziek en gezond tegelijk

Rob de Wit was de linksvoor van Ajax en een jonge, uitstekende voetballer. Maar vorig jaar leek het zomaar afgelopen met zijn carrière. Zijn lichaam wilde ineens niet meer meedoen. Uit onderzoek in het ziekenhuis bleek dat hij een hersenbloeding had gehad.

Rob de Wit vertelt: 'Ik zag mijn hele wereld instorten. Nooit meer voetballen, dacht ik meteen. Je komt in een ziekenhuis terecht en later in een revalidatiecentrum. Na een tijdje begon ik me te realiseren dat ik alleen weer gezond kon worden als ik daar heel hard voor ging werken. Dat doe ik nu. Ik kan alweer hardlopen en ik train erg veel. Ik móét en zál bij Ajax terugkomen.'

Naar: *Keesings Blikopener*, januari 1987

6 Strijd

Bijna altijd als je een interview leest met iemand die iets ergs heeft, krijg je het idee dat die mensen veel beter met hun leven kunnen omgaan dan veel gezonde mensen. Het kost natuurlijk altijd veel strijd om je handicap of ziekte te accepteren. Maar het lijkt net of deze mensen zich beter realiseren hoe belangrijk alles is wat je wel kunt.

Zo vertelt de bekende schrijfster Annie Schmidt: 'Als iemand mij vroeger verteld zou hebben dat ik niet meer zou kunnen lezen, dan zou ik gedacht hebben: "Dan ben ik maar liever dood". Toen kreeg ik iets aan mijn ogen en nu kan ik niet meer lezen. Ik heb toen inderdaad even gedacht: "Het hoeft allemaal niet meer." Maar na een tijdje ontdek je wat er allemaal nog over is, en hoeveel nieuwe dingen je ervoor in de plaats krijgt. En nu zeg ik: ja, ik vind het leven eigenlijk nog altijd heerlijk.'

Naar: *Keesings Blikopener*, januari 1987.

Weglating persoonsvorm + onderwerp

Als het onderwerp twee keer in een zin voorkomt, kan het de tweede keer worden weggelaten. Vaak samen met de persoonsvorm.

Rob de Wit was de linksvoor van Ajax en (hij was) een jonge, uitstekende voetballer.
Je komt in een ziekenhuis terecht en (je komt) later in een revalidatiecentrum.
Ze hebben haar geopereerd en (ze hebben) een plaat in het been gezet.

E 7 Een medisch onderzoek

gezondheidszorg

ONGEVALLEN-ALARMNUMMER
Telefoon 06-11

AMBULANCE-ZIEKENVERVOER

Centrale Post Ambulancevervoer
Adres: Beresteinseweg 14, Hilversum, tel. 035-215556.

APOTHEKEN

Apotheek Eemnes
Adres: Molenweg 2a, tel. 82066.
Openingstijden: maandag t/m vrijdag van 8.30-18.00 uur en zaterdag van 10.00-13.00 uur.
Avond-, nacht- en weekenddiensten:
In samenwerking met de apotheken uit Laren en Blaricum.
Raadpleeg daarvoor het antwoordapparaat van uw apotheek.

HUISARTSEN

Th. J.M. Beijerinck, Wakkerendijk 5, tel. 86147.
Spreekuur: maandag t/m vrijdag uitsluitend volgens afspraak.
Opbeltijd: 8.00-10.30 uur en 15.30-16.30 uur.
Telefonisch spreekuur: van 13.00-13.30 uur.
P.R. Hoekstra, Kerkstraat 5, tel. 83827.
Spreekuur: maandag t/m vrijdag uitsluitend volgens afspraak.
Telefonisch spreekuur: van 13.00-13.30 uur.
Opbeltijd: van 8.00-10.00 uur.
H.G. Sandelowsky en mevr. W.C. Sandelowsky-van Maarseveen
Molenweg 13, tel. 82383.
Spreekuur: maandag t/m vrijdag uitsluitend volgens afspraak.
Telefonisch spreekuur: van 13.30-14.00 uur.
Voor het maken van afspraken voor huisbezoek; telefonisch 8.00-10.00 uur.

TANDARTSEN

V.J.D. Arnolds, Kerkstraat 7, tel. 15291.
Behandeling alleen volgens afspraak. Afspraken dienen telefonisch te worden gemaakt van maandag t/m donderdag tussen 12.30-13.30 uur.
E.G. Kramer en J.P. Korsten, Wakkerendijk 64 (Gezondheidscentrum), tel. 89402.
Behandeling: alleen volgens afspraak. Afspraken dienen telefonisch te worden gemaakt tussen 8.45-12.00 uur.

FYSIOTHERAPEUTEN

J.M. Schotsman, Roerdomp 12, tel. 11028.
Spreekuur: volgens telefonische afspraak.
M.N. van der Sluijs
Adres: Hasselaarlaan 18, tel. 82390.
Spreekuur: volgens telefonische afspraak.
H. Steltenpool en mevr. L. Steltenpool-Maas
Adres: Wakkerendijk 11a, tel. 86151.
Spreekuur: volgens telefonische afspraak.

KRUISVERENIGING

Eemnesser Kruisvereniging
Secretariaat: Wakkerendijk 52.
Wijkverpleegkundigen: mevr. K. Louwerman, mevr. J. Meester, mevr. H. van Vliet.
Wijkgebouw: Gezondheidscentrum Eemnes, Wakkerendijk 62a, tel. 82566.
Spreekuur wijkverpleegkundigen: maandag t/m vrijdag van 13.00-14.00 uur.
Uitleenartikelen: Oude Kerkweg 2, 8.45-11.45 uur.
Consultatiebureau voor zuigelingen en kleuters:
Volgens afspraak via wijkverpleegkundigen.
Zwangerschapsgymnastiek: afspraak via tel. 12676.
Kraamcentrum: telefonisch aanmelden bij Kraamcentrum Hilversum, tel. 035-858182.
Spreekuur verloskundige Zr. mevr. M. Kooy: volgens afspraak, tel. 02152-53956.

ZIEKENFONDS

A.N.O.Z., Algemeen Nederlands Onderling Ziekenfonds
Kantoor: Meinsstraat 2, Nijkerk, tel. 03494-53345.
Geopend: van maandag tot en met vrijdag van 8.30-12.00 uur en van 13.30-16.00 uur.
Ziekenfonds Het Gooi- en Omstreken
Gooierserf 131, 1276 HG Huizen, tel. 02152-82911.
Geopend: van maandag t/m vrijdag van 8.30-16.00 uur.
Infokantoor: Noordsebosje 18a, Hilversum, tel. 02152-82911.
Geopend: van maandag t/m vrijdag van 8.30-12.30 uur en van 13.00-16.00 uur.
R.Z.M.N. Stichting Regionaal Ziekenfonds Midden-Nederland
Corr. adres: Postbus 8125, 3503 RC Utrecht, tel. 030-825911.

ZIEKENHUIZEN

St. Jans Ziekenhuis
Adres: Eemnesserweg 14, Laren, tel. 91611.
Bezoekuren: Volwassenen: dagelijks van 13.30-14.15 uur en van 18.30-19.30 uur.
Polikliniek: tel. 89496.
Afspraken maken met specialisten van maandag tot en met vrijdag van 8.00-17.00 uur (spoedgevallen dag en nacht tel. 91727).
Laboratorium: tel. 91622.
Geopend voor bloed- en urineonderzoek van maandag tot en met vrijdag van 8.00-15.00 uur, via verwijzing door huisarts of specialist.
Opname in het ziekenhuis: tel. 91690.
Maatschappelijk werk: tel. 91611 tst. 708.
Spreekuur: maandag van 9.00-15.00 uur; dinsdag van 9.00-16.00 uur; woensdag van 9.00-13.00 uur; donderdag van 9.00-16.00 uur; vrijdag van 9.00-12.00 uur.
De ingang van de poliklinieken, laboratorium en de röntgenafdeling is geopend van maandag tot en met vrijdag van 8.00-18.00 uur. Buiten deze tijden bereikbaar via de hoofdingang.

Ziekenhuis „Gooi Noord"
Polikliniek Psychiatrie en Dagcentrum.
P/a Majella Ziekenhuis, Nieuwe Hilversumseweg 20, Bussum, tel. 02159-754111.

Uit: *Zorg voor gezondheid*, Keesings Blikopener no. 5, jan. 1987.

F

aanrijden
accepteren
achteruitgaan
af
— af en toe
aflopen
de afspraak
het afsprakenbureau
alweer
de arm
het been
de beterschap
— van harte beterschap
blijken
de bloeddruk
de boodschap
de borst
de bril
buigen
de buik
de carrière
de dokter
de donderdagmiddag
de duizeligheid
ernstig
de fiets
flink
gebroken
gelukkig
het geval
gezond
de groet
de handicap
hardlopen
het hart
— van harte beterschap
de hersenbloeding
de heup
het hoofd
de hoofdpijn
hopelijk
de huisarts
instorten
het kantoor
de last
— last hebben van
het lichaam
het lichaamsdeel
de linksvoor
de mond
de navel
de nek
de neus
noteren
omgaan met
het oog
de oogarts
het oor
opereren
overgaan
particulier
de pijn
de plaat
de polikliniek
zich realiseren
regelmatig
het revalidatiecentrum
schelen
— wat scheelt je?
de schouder
de schrijfster
het spreekuur
de strijd
tegelijk
terechtkomen
terugkomen
thuiskomen
toe
— af en toe
trainen
uitkijken
verkouden
de verwijsbrief
verzekerd
de voetballer
voren
— naar voren
vreselijk
vroeger
waarschijnlijk
wensen
de wond
ziek
het ziekenfonds
het ziekenhuis
de ziekte
zomaar
de zorg

5 Moet dat echt?

A 1 In een buurthuis

Santiago Ledesma	Ik wil graag informatie over de cursussen Nederlands.
Renske Tollenaar	Wat wilt u weten?
Santiago Ledesma	Wanneer beginnen de cursussen?
Renske Tollenaar	Dat hangt ervan af. Wilt u zich opgeven voor een beginners- of een gevorderdencursus?
Santiago Ledesma	Ik weet het niet precies. Misschien een beginnerscursus.
Renske Tollenaar	Maar u spreekt al wat Nederlands. Volgens mij kunt u beter een cursus voor gevorderden doen.
Santiago Ledesma	O, maar ik spreek maar een heel klein beetje Nederlands.
Renske Tollenaar	Maar u bent ook geen echte beginner meer. De beginnerscursus is voor mensen die nog helemaal geen Nederlands spreken.

Santiago Ledesma	Wanneer begint die gevorderdencursus?
Renske Tollenaar	Volgende week.
Santiago Ledesma	Dat is goed.
Renske Tollenaar	Nee, nee, dat gaat niet. Alles zit bijna vol. Ik weet niet of er nog plaats is. Dat moet ik eerst even nakijken.
Santiago Ledesma	Op welke dag is de cursus?
Renske Tollenaar	We hebben een cursus op maandag, dinsdag en donderdag.
Santiago Ledesma	Drie keer per week?
Renske Tollenaar	Nee, de cursus is een keer per week, op maandagochtend, dinsdagmiddag of donderdagmiddag.
Santiago Ledesma	Niet 's avonds?
Renske Tollenaar	Nee, alleen overdag. Maar het is niet zeker of we nog een plaats voor u hebben. Ik kijk even. Nee, het spijt me, alles is vol.
Santiago Ledesma	Wanneer beginnen de volgende cursussen?
Renske Tollenaar	Dat is pas over een half jaar.
Santiago Ledesma	Kan ik nu toch niet meedoen?
Renske Tollenaar	Nee, dat kan echt niet. Ik kan u wel op de wachtlijst zetten.
Santiago Ledesma	Nou, doet u dat dan maar.

2 Activiteitenschema buurthuis De Driehoek

	ma	di	wo	do
Gymnastiek voor ouderen	09-10			09-10
Jazzballet dames		17-18		18-19
Jazzballet gemengd	18-19			19-20
Inleiding tekstverwerking	20-22			
Naaien			15-17	
Nederlands voor buitenlanders beginners	13-15	15-17		13-15
Nederlands voor buitenlanders gevorderden	10-12	13-15		15-17
Spaans conversatie			19-21	
Frans conversatie			19-21	
Fietsen repareren (eigen fiets meenemen)		19-21		
Conditietraining heren	17-18		18-19	
Fotografie inleiding		14-16		20-22

Zeggen dat iets niet zeker is

Het is niet zeker of ...
Ik weet niet of ...
Het/Dat hangt ervan af.
Het/Dat hangt van ... af.
Misschien.

— Is de cursus niet 's avonds?
— Nee, alleen overdag. Maar het is niet zeker of we nog een plaats voor u hebben.

— Wanneer begint de gevorderdencursus?
— Volgende week. Maar ik weet niet of er nog plaats is.

— Wanneer beginnen de cursussen?
— Dat hangt ervan af.

— Wilt u zich opgeven voor een beginners- of een gevorderdencursus?
— Ik weet het niet precies. Misschien een beginnerscursus.

Geen toestemming geven

Het/Dat spijt me.	— Kan ik meedoen met de cursus Nederlands? — Nee, het spijt me, alles is vol.
Het/Dat gaat niet.	— Ik kom volgende week. — Nee, nee, dat gaat niet.
Het/Dat kan niet. **Het/Dat is niet mogelijk.**	— Kan ik nu toch niet meedoen? — Nee, dat kan echt niet.

3 Op een technische school

Abderrahim Badr	Ik heb me laatst opgegeven voor Elektrotechniek. Kunt u mij inlichtingen geven over het toelatingsexamen?
Kees Stellingwerf	Wat is uw naam?
Abderrahim Badr	Abderrahim Badr.
Kees Stellingwerf	Moment, dan pak ik even uw formulier. U bent Marokkaan, zie ik?
Abderrahim Badr	Dat klopt.
Kees Stellingwerf	Nou, in ieder geval moet u dan een examen Nederlands doen.
Abderrahim Badr	Maar ik woon al twee jaar in Nederland. Moet dat echt?
Kees Stellingwerf	Ja, u moet toch dat examen afleggen. Wat is uw vooropleiding?
Abderrahim Badr	Ik heb in Marokko de middelbare school gedaan.
Kees Stellingwerf	O ja, dat zie ik hier staan. Hebt u uw diploma bij u?
Abderrahim Badr	Nee, dat is nog in Marokko.
Kees Stellingwerf	Maar we moeten weten met welke cijfers u geslaagd bent.
Abderrahim Badr	Is dat echt nodig?
Kees Stellingwerf	Ja, als u voor wiskunde, natuurkunde en Engels lage cijfers had, moet u ook nog in die vakken examen doen.
Abderrahim Badr	O, maar ik had allemaal goede cijfers.
Kees Stellingwerf	Dan hoeft u geen examen in die vakken te doen. Maar we willen dat toch even controleren.
Abderrahim Badr	Dus ik moet echt mijn diploma laten zien?
Kees Stellingwerf	Ja, dat kan niet anders.
Abderrahim Badr	Wanneer is het examen Nederlands?
Kees Stellingwerf	Dat is dit jaar op 23 en 24 juni. Maar zorgt u nu eerst dat wij uw diploma krijgen.
Abderrahim Badr	Kan ik hier anders niet studeren?
Kees Stellingwerf	Nee, dat is niet mogelijk.
Abderrahim Badr	Goed, ik zal mijn best doen. Bedankt voor uw informatie.
Kees Stellingwerf	Graag gedaan, dag meneer Badr.

Vrijstelling vragen

Moet het/dat (echt)?
Is het/dat (echt) nodig?
Moet ik (echt) ... doen?

— Nou, in ieder geval moet u dan een examen Nederlands doen.
— Maar ik woon al twee jaar in Nederland. Moet dat echt?

— Ja, maar wij moeten weten met welke cijfers u geslaagd bent.
— Is dat echt nodig?

— Dus ik moet echt mijn diploma laten zien?
— Ja, dat kan niet anders.

Vrijstelling geven

U hoeft niet/geen ... te doen

— Ik had allemaal goede cijfers.
— Dan hoeft u geen examen in die vakken te doen.

Geen vrijstelling geven

U moet ... doen.
Het/Dat kan niet (anders).

— Ik woon al twee jaar in Nederland. Moet ik echt dat examen doen?
— Ja, u moet toch dat examen afleggen.

— Dus u moet echt mijn diploma hebben?
— Ja, dat kan niet anders.

Moeten/hoeven + ontkenning (+ te)

Vraag met moeten?
Bij ontkenning: hoeven + ontkenning (+ te) in het antwoord.

— Moet ik examen doen?
— Nee, dat hoeft niet.
Nee, u hoeft geen examen te doen.

4 Een telefoongesprek

33808.

Braziliaan geeft lessen Portugees in ruil voor conversatie Nederlands. Gilberto, 010-876543.

Cursusreizen Frans en Engels

Gilberto Riveira	Ja.
Harm-Jan Heddema	Met Harm-Jan Heddema. Spreek ik met Gilberto?
Gilberto Riveira	Ja.
Harm-Jan Heddema	Ik heb je advertentie gelezen over Portugese les. Ik heb daar wel belangstelling voor.
Gilberto Riveira	O, leuk. Maar heb je begrepen dat ik dan van jou Nederlandse les wil?
Harm-Jan Heddema	Ja, dat vind ik juist een prima idee. Maar jij spreekt al goed Nederlands, zeg!
Gilberto Riveira	Ja, redelijk, maar ik maak nog heel veel fouten. Heb je al eerder lesgegeven?
Harm-Jan Heddema	Nee, nog nooit, maar ik studeer Nederlands.
Gilberto Riveira	O, maar ik wil absoluut geen grammatica, hoor. Ik wil alleen maar vloeiend Nederlands leren praten.
Harm-Jan Heddema	Heb jij wel eens lesgegeven?
Gilberto Riveira	Ja, ik geef regelmatig conversatieles. En in Brazilië was ik onderwijzer. Spreek jij al een beetje Portugees?
Harm-Jan Heddema	Nee, nog niet. Maar ik ga van de zomer op vakantie naar Brazilië. En dan is het handig om een paar woorden Portugees te kunnen praten.
Gilberto Riveira	Zullen we een afspraak maken? Kun je donderdagavond?
Harm-Jan Heddema	Nee, dan heb ik altijd conditietraining. Wat denk jij van dinsdagavond?
Gilberto Riveira	Nee, dan kom ik vaak heel laat thuis. Maandagavond misschien?
Harm-Jan Heddema	Dat is goed. Doen we het bij jou of bij mij?
Gilberto Riveira	Kom maar naar mij toe. Ik woon in de Kruisstraat 54.
Harm-Jan Heddema	Zal ik dan om een uur of half acht komen?
Gilberto Riveira	Eh, liever iets later, acht uur, half negen. Ik eet meestal niet zo vroeg.
Harm-Jan Heddema	Goed, dan kom ik om acht uur. Tot dan, hè.
Gilberto Riveira	Ja, tot ziens.

Frequentie

nooit
wel eens, soms, af en toe
vaak
meestal
regelmatig, ... keer per ...
altijd, steeds

Ik heb nog nooit eerder lesgegeven.
Heb jij wel eens lesgegeven?
Dinsdagavond kom ik vaak heel laat thuis.
Ik eet meestal niet zo vroeg.
Ik geef regelmatig conversatieles.
Donderdagavond heb ik altijd conditietraining.

Graduering

helemaal geen/niet, absoluut geen/niet
geen
een (heel) klein beetje, een paar
een beetje, iets, wat
redelijk (veel)
veel
heel veel
alleen maar

De beginnerscursus is voor mensen die nog helemaal geen Nederlands spreken.
Maar u bent ook geen echte beginner meer.
Ik spreek maar een heel klein beetje Nederlands.
U spreekt al wat Nederlands.
Ik spreek redelijk Nederlands.
Ik maak nog heel veel fouten.
Ik wil alleen maar vloeiend Nederlands leren praten.

Het onderwijs in Nederland

Leerplicht

Elk kind dat in Nederland woont heeft vanaf vier jaar het recht om naar school te gaan. Maar Nederland kent ook de leerplicht, dat betekent dat ouders de plicht hebben om hun kinderen in de leeftijd tussen vijf en zestien jaar onderwijs te laten volgen. Zij mogen hun kinderen dus niet thuis houden.

Hoe is het onderwijs in Nederland geregeld?

Kinderen van vier tot twaalf jaar gaan naar de basisschool. Na de basisschool kunnen de leerlingen overstappen naar het voorgezet onderwijs. Er zijn twee vormen van voortgezet onderwijs:

1 algemeen voortgezet onderwijs, in dit onderwijs worden de leerlingen nog niet voorbereid op een beroep;

2 beroepsgericht onderwijs, hier leren de leerlingen een vak of worden ze voor een bepaald beroep voorbereid.

In het voortgezet onderwijs beginnen de leerlingen met een of meerdere brugjaren. Op alle scholen zijn de lessen in de brugklas bijna hetzelfde. Op die manier kunnen de leerlingen na de brugklas gemakkelijk naar een ander schooltype overstappen.

Het algemeen voortgezet onderwijs

Tot het algemeen voortgezet onderwijs behoren:

1 de mavo, deze school duurt vier jaar en geeft toegang tot het middelbaar beroepsonderwijs;

2 de havo, deze school duurt vijf jaar en geeft toegang tot het hoger beroepsonderwijs;

3 het voorbereidend wetenschappelijk onderwijs (v.w.o.); het v.w.o. duurt zes jaar en geeft toegang tot de universiteit.

Het beroepsonderwijs

In het beroepsonderwijs worden de leerlingen direct opgeleid voor een vak of beroep. Er zijn drie niveaus:

1 lager beroepsonderwijs (l.b.o.),

2 middelbaar beroepsonderwijs (m.b.o.),

3 hoger beroepsonderwijs (h.b.o.).

In het beroepsonderwijs kunnen de leerlingen kiezen uit verschillende richtingen, zoals technisch onderwijs, economisch en administratief onderwijs of agrarisch onderwijs.

Naar: *Kies*, Ministerie van Onderwijs en Wetenschappen, november, 1985.

Onderwijsschema

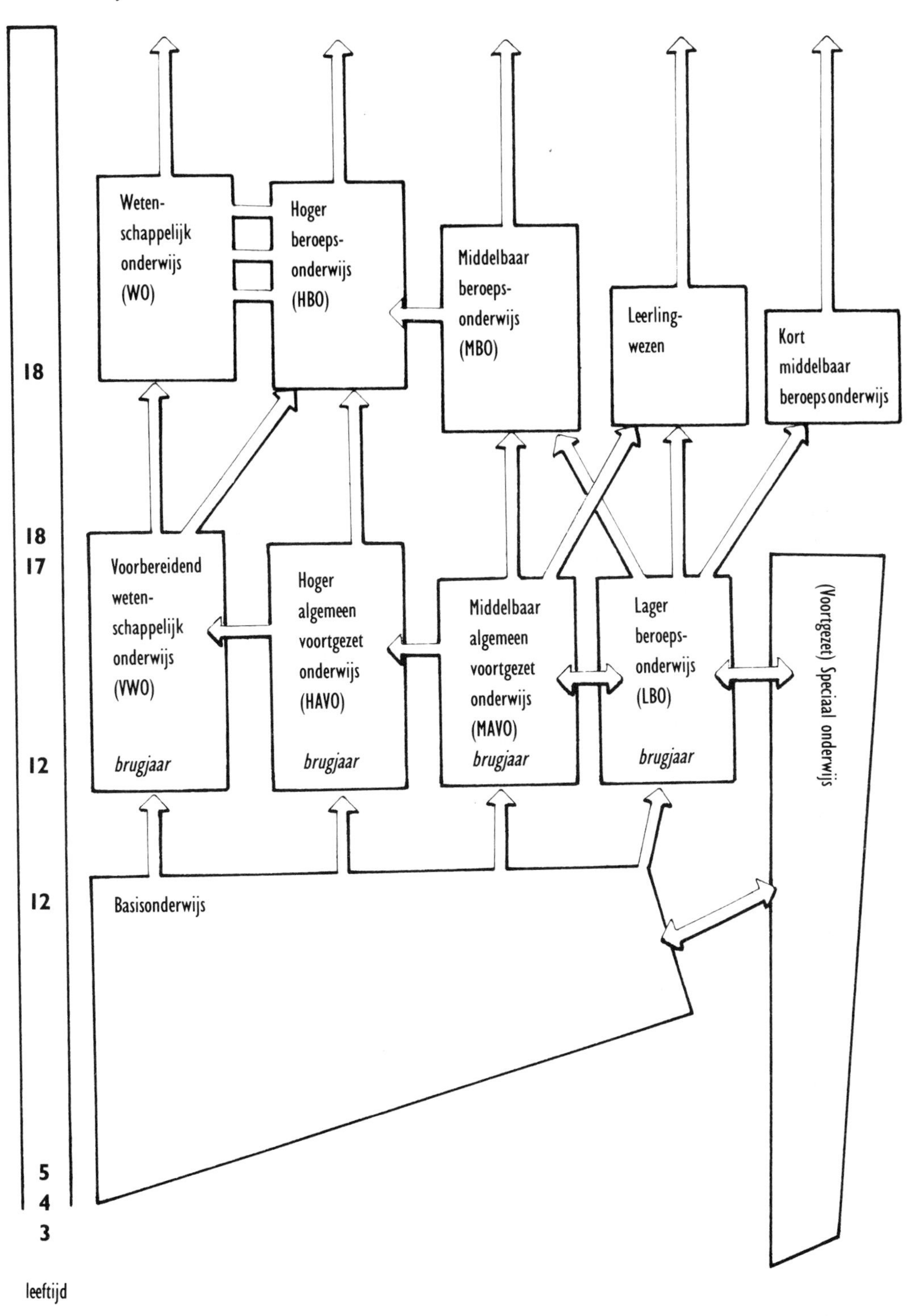

6 Rooster cursus Nederlands voor aspirant-studenten

dag	tijd	vak	docent	lokaal
ma.	9-11	Geschiedenis	Lex van Rooijen	302
	11-12	Geschiedenis	Lex van Rooijen	204
	12-13	pauze		
	13-15	Engels	Wendy Fletcher	116
di.	9-12	Nederlands	Eddy Hermans	221
	12-13	pauze		
	13-15	Nederlands	Marjan Brood	302
do.	9-11	Nederlands	Ruud Mertens	109
	11-12	Nederlands	Ruud Mertens	302
	12-13	pauze		
	13-15	Nederlands	Linda Stam	221
vr.	9-10	Nederlands	Ruud Mertens	302
	10-11	Wiskunde	Henk Boelen	302
	11-12	Wiskunde	Henk Boelen	204
	12-13	pauze		
	13-15	Nederlands	Linda Stam	221

Vakanties
14 oktober t/m 20 oktober (herfstvakantie)
23 december t/m 4 januari (kerstvakantie)
6 februari t/m 10 februari (voorjaarsvakantie)
24 maart t/m 31 maart (paasvakantie)

7 Toelatingsbepalingen van een technische school

De regels voor het toelatingsexamen van een technische school zijn:
1 Alle anderstalige studenten moeten een examen Nederlands afleggen.
2 Anderstalige studenten die geen middelbare-schooldiploma kunnen laten zien/bezitten, moeten een toelatingsexamen doen voor de volgende vakken: Nederlands, Algemene ontwikkeling, Engels, Wiskunde en Natuurkunde.
3 Anderstalige studenten die wel een diploma kunnen laten zien, maar lage cijfers behaalden bij het eindexamen voor de middelbare school voor de vakken Wiskunde en/of Natuurkunde en/of Engels, moeten in dat vak/die vakken toelatingsexamen doen.

8 Toelatingscriteria tot het land Fictivia

Voor toeristen die het land Fictivia willen bezoeken gelden de volgende regels:
- Personen met de nationaliteit van een Afrikaans of Aziatisch land moeten een geldig paspoort hebben.
- Personen uit landen uit de Europese Gemeenschap hebben een geldig paspoort en een visum nodig.
- Personen uit andere landen hebben geen toegang tot Fictivia.

9 Toewijzingsbeleid woningen in Anna-Johannapolder

In de gemeente Anna-Johannapolder gelden de volgende regels bij de verdeling van woningen:

— alleenstaande tot 30 jaar	woning met 2 kamers
— alleenstaande vanaf 30 jaar	woning met 2 of 3 kamers
— paar	woning met 3 kamers
— huishouden met 1 kind	woning met 3 of 4 kamers
— huishouden met 2 kinderen	woning met 4 kamers
— huishouden met 3 kinderen	woning met 4 of 5 kamers

Woningen met 2 of 3 kamers op de begane grond of eerste verdieping zijn voor ouderen vanaf 60 jaar. Ook woningen met een lift zijn in principe voor ouderen.

F

het activiteitenschema
administratief
afhangen van
— dat hangt ervan af
afleggen
— een examen afleggen
agrarisch
algemeen
de basisschool
de beginner
de beginnerscursus
behoren tot
het beroep
beroepsgericht
het beroepsonderwijs
de Braziliaan
het brugjaar
de brugklas
het buurthuis
het cijfer
de conditietraining
controleren
de conversatie
de conversatieles
de cursus
de dame
de dinsdagavond
de dinsdagmiddag
het diploma
direct
de elektrotechniek
het examen
de fotografie
de fout
gemakkelijk
gemengd
gevorderd
de gevorderdencursus
de grammatica
de gymnastiek
de havo
hetzelfde
de inleiding
het jazzballet
de leeftijd
de leerling
de leerplicht
lesgeven
de maandagavond
de maandagochtend
de Marokkaan
de mavo
meenemen
middelbaar
de natuurkunde
het niveau
de onderwijzer
zich opgeven
opleiden
de oudere
overstappen
Portugees
redelijk
de richting
de ruil
— in ruil voor
het schooltype
slagen
Spaans
studeren
technisch
de tekstverwerking
het telefoongesprek
de toegang
het toelatingsexamen
de universiteit
het vak
de vakantie
vloeiend
vol
voorbereidend
de vooropleiding
voortgezet
de vorm
vroeg
de wachtlijst
wetenschappelijk
de wiskunde

16 Wat voor werk doet u?

A 1 Bij een uitzendbureau

Humphrey Tamara Goedemiddag, ik zoek een baantje.
Intercedente Wat is uw beroep?
Humphrey Tamara Ik ben student.
Intercedente En wat voor werk zoekt u?
Humphrey Tamara Dat maakt niet uit.
Intercedente In welke periode bent u beschikbaar? Zoekt u vakantiewerk?
Humphrey Tamara Ja, ik zoek iets in juni en juli.
Intercedente Hm, moeilijk. Wilt u schoonmaakwerk doen?
Humphrey Tamara Hebt u niets anders? Ik heb dat vorig jaar ook gedaan, maar dat is me toen slecht bevallen.
Intercedente Ja, u bent natuurlijk niet de enige die in die periode iets zoekt. Heeft u een rijbewijs?
Humphrey Tamara Nee, maar ik heb wel een typediploma. Hebt u ergens op een kantoor of zo geen werk voor me?

Intercedente Nee, niets, alleen schoonmaakwerk.
O, wacht even. Dit bedrijf zoekt iemand voor administratief werk. Misschien is dat iets voor u. Het is wel buiten de stad.

Humphrey Tamara O, dat doet er niet toe.
Van wanneer tot wanneer is het?

Intercedente Van 15 juni tot 15 augustus.

Humphrey Tamara Nee, in augustus ben ik al weg.

Intercedente Niet in augustus. Wanneer wilt u beginnen?

Humphrey Tamara Dat kan me niet schelen. Nu, als het moet.
Krijgt u nog ander werk binnen, denkt u?

Intercedente Tja, dat is moeilijk te zeggen.
U kunt het beste dit formulier invullen.
Dan kunnen we u bellen, als we iets geschikts voor u hebben. En misschien moet u het ergens anders nog eens proberen.

Humphrey Tamara Ja, dat zal ik doen, dank u wel.

Maak van dansen je beroep.
Laatste auditie
Show/musical dansopleiding de Amsterdamse Ballet Academie 4-jarig HBO vakopleiding + vooropleing v.a. 7 jr. Info bel 020-761370.

Vakantiewerk
ASB uitzendbureau
zoekt m/v:
havo/vwo eindexamen-kandidaten
die op verschillende projecten in Amsterdam gedurende de zomermaanden administratief werk gaan verrichten.
Van de kandidaten wordt verwacht:
- havo en/of vwo met wiskunde of economie
- leeftijd 18 tot 20 jaar
- in teamverband willen werken
- beschikbaar vanaf 29 mei t/m 21 juli of vanaf 24 juli t/m 15 september a.s.

Geïnteresseerden kunnen contact opnemen met ASB uitzendbureau, Middenweg 1-3, 1098 AA Amsterdam, telef. 020-926416. U kunt vragen naar Yvonne Knape.

SCHRIJF JE EIGEN TAAL
Kies voor een onschoolse, direkte manier om anders met je eigen taal om te gaan! Basis- of begeleidingscursus, Autobiografisch Schrijven of Manuscriptbeoordelingen. Schrijven is handelen: Uitg. Priem, Eindweg 4, 3829 AH Hooglanderveen, 03495-72533.

Geen voorkeur hebben

Het/Dat doet er niet toe.	— Het is een baantje buiten de stad. — O, dat doet er niet toe.
Het/Dat kan me niet(s) schelen.	— Wanneer wilt u beginnen? — Dat kan me niet schelen.
Het/Dat maakt (me) niet uit	— En wat voor werk zoekt u? — Dat maakt niet uit.

Iets-niets, iemand-niemand, ergens-nergens

1 Bij dingen: (n)iets; bij personen: (n)iemand; bij plaatsen: (n)ergens

— Zoekt u vakantiewerk?
— Ja, ik zoek iets in juni en juli.

— Dit bedrijf zoekt iemand voor administratief werk.
— Ja, dat is iets voor mij.

— Hebt u ergens op een kantoor of zo geen werk voor me?
— Nee, niets, alleen schoonmaakwerk.

2 (n)iets anders; (n)iemand anders; (n)ergens anders

— Wilt u schoonmaakwerk doen?
— Hebt u niets anders?

— Misschien moet u het ergens anders nog eens proberen.
— Ja, dat zal ik doen, dank u wel.

3 (n)iets + bijvoeglijk naamwoord + s: (n)iets moois, leuks, geks, enzovoort

U kunt het beste dit formulier invullen. Dan kunnen we u bellen, als we iets geschikts voor u hebben.

B o-o 2 Gesprek met een treinconducteur

Interviewer	Meneer Smeets, wat voor werk doet u precies?
Twan Smeets	Ik ben conducteur bij de Nederlandse Spoorwegen.
Interviewer	En hoe lang doet u dit werk al?
Twan Smeets	Ik ben nu twaalf jaar conducteur, maar ik werk al zestien jaar bij de NS.
Interviewer	Wat deed u daarvoor?
Twan Smeets	Voordat ik conducteur werd, bedoelt u? Toen werkte ik als stationsassistent.
Interviewer	En waarom bent u conducteur geworden?
Twan Smeets	Tja, een baan op kantoor leek me niets en ik wist dat de NS een goede werkgever was, dus toen ze conducteurs nodig hadden, heb ik gesolliciteerd.
Interviewer	En daar hebt u achteraf geen spijt van?
Twan Smeets	Nee beslist niet, want ik vind het een leuk beroep. Ik kom elke dag met veel mensen in contact, ik heb aardige collega's en het is een afwisselend beroep.
Interviewer	U knipt niet alleen kaartjes, hè?
Twan Smeets	Nee, ik voel me meer een soort gastheer in de trein. Als conducteur help je de reizigers, je geeft informatie en je bent verantwoordelijk voor de orde en veiligheid in de trein.
Interviewer	Vindt u het een zwaar beroep?
Twan Smeets	Nee, lichamelijk is het geen zwaar beroep, nee. Maar je moet wel stevig in je schoenen staan voor dit werk.

Interviewer	Hoe bedoelt u?
Twan Smeets	Nou, probeert u maar eens de kaartjes te controleren van een groep voetbalsupporters. Dan moet je heel tactisch optreden.
Interviewer	En bent u tevreden over uw salaris?
Twan Smeets	Ach, een mens wil natuurlijk altijd meer. Maar door mijn onregelmatige diensten heb ik recht op een extra toeslag. Op die manier is het een goed betaald beroep.
Interviewer	Dus u bent niet op zoek naar ander werk?
Twan Smeets	Nee, ik wil dit werk graag blijven doen.

Uit: Theo van den Boogaard & Wim T. Schippers, *Sjef van Oekel draaft door*. Uitg. Oberon bv, Haarlem.

Vragen naar een beroep en reactie

Wat is uw/je beroep?	**Ik ben ...**
Welk beroep hebt u/heb je?	**Ik werk als ...**
Wat (voor werk) doet u/doe je?	

— Wat is uw beroep?
— Ik ben conducteur.

— Wat voor werk doet u precies?
— Ik ben conducteur bij de Nederlandse Spoorwegen.

— Wat deed u daarvoor?
— Voordat ik conducteur werd, bedoelt u? Toen werkte ik als stationsassistent.

C o-o 3 Op zoek naar werk

Gerard

Mijn naam is Gerard, ik ben 32 jaar en ik heb mavo. Ik werk al jaren als assistent inkoper bij een technisch bedrijf. Promotiekansen binnen het bedrijf heb ik eigenlijk niet. Mijn chef is maar twee jaar ouder dan ik, dus als ik moet wachten totdat die met pensioen gaat ...
Ik heb al verschillende keren gesolliciteerd. Ik heb natuurlijk veel praktijkervaring, maar ja, ik kan geen diploma's laten zien. Gelukkig ben ik nog nooit één dag werkloos geweest, maar ik vraag me toch af: 'Is er voor mij nou niet een mogelijkheid om hogerop te komen?'

Marijke

Ik ben Marijke, 19 jaar. Toen ik twee jaar geleden mijn havo-diploma haalde, toen sprong ik een gat in de lucht. Nou, ik kan je wel zeggen dat ik nu weer met beide benen op de grond sta. Er zijn wel banen, maar ja, net niet iets voor mij. Overal vragen ze iemand met ervaring. Ik wil het liefst iets met mijn handen doen. Timmeren of meubelmaken, dat lijkt me nou echt leuk. Voor mijn kamer heb ik een tafeltje gemaakt en een boekenkast. Maar nu nog naar de lts? Nou, dat zie ik echt niet zitten. Maar ja, wat dan wel ...?

Harmen

Ik ben Harmen, 26, en ik heb op school altijd vreselijk gebaald. De laatste tijd heb ik verschillende baantjes gehad. Eerst administratief medewerker, maar dat was niets. Magazijnbediende bij een handelaar in levensmiddelen, dat beviel me beter. Maar toen het slechter ging met het bedrijf, kreeg ik ontslag. Het laatst gekomen, dus het eerst eruit. Nu repareer ik geluidsinstallaties en oude televisies voor vrienden en kennissen. Electrotechniek is net iets voor mij. Er zijn ook wel vacatures in die branche, maar tot nu toe heb ik nog niets geschikts gevonden.

Cor

Ik ben Cor, ik ben 28 en ik ben net klaar met mijn studie medicijnen. Je denkt misschien dat het voor mij gemakkelijk is om werk te vinden? Nou, vergeet het maar. Ja, ik heb bollen gepeld, tomaten geplukt en in een papierfabriek gewerkt. Want stil zitten kan ik niet. Daar heb ik thuis trouwens nooit de tijd voor gehad. Mijn vader had een melkzaak, dus daar was altijd wel wat te doen. En al die klussen zijn voor een tijdje best leuk, maar het is niet precies wat ik me nou van de toekomst heb voorgesteld.

Positief beoordelen

Het/Dat is iets voor mij.
Het/Dat bevalt me.
Het/Dat lijkt me leuk/goed, enzovoort.

— En wat denk je van electrotechniek?
— Ja, dat is net iets voor mij.

— Heb je ook slechte ervaringen als magazijnbediende bij een handelaar in levensmiddelen?
— Nee, dat beviel me veel beter.

— Wat vind je van timmeren of meubelmaken?
— Dat lijkt me echt leuk.

Negatief beoordelen

Het/Dat is niets voor mij.
Het/Dat bevalt me niet/slecht.
Het/Dat lijkt me niet leuk/goed, enzovoort.

— Vind je administratief werk leuk?
— Nee, dat is niets voor mij.

— Wilt u schoonmaakwerk doen?
— Nee, dat is me vorig jaar slecht bevallen.

— Waarom bent u conducteur geworden?
— Een baan op kantoor leek me niets en ik wist dat de NS een goede werkgever was, dus toen ze conducteurs nodig hadden, heb ik gesolliciteerd.

D 4 Werkloos

Daar zit je nu. Zonder werk. Wat nu? Betekent het dat je helemaal geen geld meer krijgt? Nee, in Nederland bestaat een systeem van sociale verzekeringen. Iedereen betaalt mee aan een soort landelijke verzekering. Door deze verzekeringen hoef je niet meteen honger te lijden als er wat met je gebeurt. Bijvoorbeeld wanneer je een ongeluk krijgt, wanneer je invalide wordt en niet meer kunt werken, wanneer je te oud bent om te werken, enzovoort. Ook als je werkloos wordt, krijg je geld uit die verzekeringspot. Meestal zijn die uitkeringen niet erg hoog, maar je kunt er net van leven. De wetten waarin de uitkeringen geregeld zijn, hebben alle een eigen naam, zoals:

AOW = algemene ouderdomswet,
AWW = algemene weduwen- en wezenwet,
WAO = wet op de arbeidsongeschiktheidsverzekering,
ZW = ziektewet,
WW = werkloosheidswet.

Het is geen schande als je op deze wetten een beroep doet. Integendeel, je hebt er recht op. Iedereen betaalt er immers aan mee. Als je werkloos bent, moet je je wel eerst als werkzoekende laten inschrijven bij het Arbeidsbureau.

Naar: *Schoolverlaten*, AFSchrift 5, Anne Frank Stichting, Voorburg, z.j.

Balen...

5 Als je hoofd wat om handen wil hebben

Je bent MBO-, HBO-, Universitair student of schoolverlater met minimaal je HAVO-diploma op zak. En op zoek naar een tijdelijke baan die behalve bij je studierooster ook nog prima bij je opleiding past. ASA Studenten Uitzendbureau heeft die tijdelijke banen en is bovendien het enige landelijke uitzendbureau voor studenten. Dus, kom langs om je in te laten schrijven ook als je pas over enkele weken of maanden kunt werken. Geen tijd..., vul dan de antwoordkaart even in.

ASA Studenten Uitzendbureau. Denkers Die Doen.

Stuur mij de brochure met alle informatie over tijdelijk werk via ASA Studenten Uitzendbureau.

NAAM VOORNAAM M/V
ADRES POSTCODE
WOONPLAATS TEL NR
GEB DATUM OPLEIDING
BESCHIKBAAR VAN TOT PART-TIME □ FULL-TIME □ *
VOORKEUR SOORT WERK

* DOORHALEN WAT NIET VAN TOEPASSING IS

Stuur de bon op naar: ASA Studenten Uitzendbureau, Antwoordnummer 10825, 2350 VB LEIDERDORP Een postzegel is niet nodig

F

achteraf
zich afvragen
afwisselend
het arbeidsbureau
de arbeidsongeschiktheidsverzekering
de assistent
de baan
balen
het bedrijf
beschikbaar
bevallen
binnenkrijgen
de boekenkast
de bol
de branche
de chef
de conducteur
daarvoor
ertoe
— het doet er niet toe
de gastheer
het gat
— een gat in de lucht springen
geleden
de geluidsinstallatie
geschikt
de handelaar
hogerop
immers
de inkoper
zich inschrijven
de intercedente
invalide
de kennis
de klus
knippen
landelijk
de levensmiddelen
lichamelijk
lijden
de lts
de lucht
— een gat in de lucht springen
de magazijnbediende
de medewerker
het medicijn
— medicijnen studeren
de melkzaak
meubelmaken
onregelmatig
het ontslag
optreden
de ouderdomswet
de papierfabriek
pellen
het pensioen
de periode
plukken
de praktijkervaring
de promotiekans
de reiziger
het salaris
de schande
het schoonmaakwerk
sociaal
solliciteren
de spijt
de spoorweg
springen
— een gat in de lucht springen
de stationsassistent
stevig
stil
de studie
het systeem
tactisch
timmeren
de toekomst
de toeslag
de treinconducteur
trouwens
het typediploma
de uitkering
het uitzendbureau
de vacature
de vader
het vakantiewerk
de veiligheid
verantwoordelijk
de verzekering
de verzekeringspot
voelen
de voetbalsupporter
waarin
de weduwenwet
de werkgever
de werkloosheidswet
de werkzoekende
de wet
de wezenwet
de ziektewet

Appendix I

Kaart van Nederland en Vlaanderen
Nederlands taalgebied
Frans taalgebied (Wallonië)
Taalgrens
Leeuwarden
Groningen
Assen
Purmerend
Lelystad
Zwolle
Amsterdam
Haarlem
Almere
Amstelveen
Naarden
Bussum
Den Haag
Utrecht
Arnhem
Rotterdam
's-Hertogenbosch
Middelburg
Brugge
Antwerpen
Gent
WEST-DUITSLAND
Hasselt
Maastricht
Brussel
FRANKRIJK
LUXEMBURG
0
50 km

Appendix 2

Lijst van aardrijkskundige namen

land/gebied	*inwoner*	*bijvoeglijk naamwoord*
Afghanistan	Afghaan	Afghaans
Afrika	Afrikaan	Afrikaans
Albanië	Albanees, Albaniër	Albanees, Albanisch
Algerije	Algerijn	Algerijns
Amerika	Amerikaan	Amerikaans
Amerikaans Samoa	Amerikaanssamoaan	Amerikaans-samoaans
Andorra	Andorrees	Andorrees
Angola	Angolees	Angolees
Antigua	Antiguaan	Antiguaans
Anguilla	Anguillaan	Anguillaans
Argentinië	Argentijn	Argentijns
Aruba	Arubaan	Arubaans
Australië	Australiër	Australisch
Azië	Aziaat	Aziatisch
Bahamas, de	Bahamaan	Bahamaans
Bahrayn	Bahrayner	Bahrayns
Bangladesh	Bengalees	Bengalees
Barbados	Barbadaan	Barbadaans
België	Belg	Belgisch
Belize	Belizaan	Belizaans
Benin	Beniner	Benins
Bermuda	Bermudaan	Bermudaans
Bhutan	Bhutan	Bhutaans
Bolivia	Boliviaan	Boliviaans
Bondsrepubliek Duitsland,de	Westduitser	Westduits
Botswana	Botswaan	Botswaans
Brazilië	Braziliaan	Braziliaans
Brunei	Bruneier	Bruneis
Bulgarije	Bulgaar	Bulgaars
Burkina Faso	Burkinees	Burkinees
Burma	Burmaan	Burmaans
Burundi	Burundiër	Burundisch
Cameroun	Camerouner	Camerouns
Canada	Canadees	Canadees
Centraalafrikaanse Republiek, de	Centraalafrikaan	Centraalafrikaans
Chili	Chileen	Chileens

China	Chinees	Chinees
Colombia	Colombiaan	Colombiaans
Comoren, de	Comorees	Comorees
Congo	Congolees	Congolees
Costa Rica	Costaricaan	Costaricaans
Cuba	Cubaan	Cubaans
Cyprus	Cyprioot	Cyprisch
Denemarken	Deen	Deens
Djibouti	Djiboutiaan	Djiboutiaans
Dominica	Dominicaan	Dominicaans
Dominicaanse Republiek,de	Dominicaan	Dominicaans
Duitse Democratische Republiek, de (DDR)	Oostduitser	Oostduits
Ecuador	Ecuadoraan	Ecuadoraans
Egypte	Egyptenaar	Egyptisch
El Salvador	Salvadoraan	Salvadoraanse
Equatoriaal Guinee	Equatoriaalguineeër	Equatoriaal-guinees
Etiopië	Etiopiër	Etiopisch
Europa	Europeaan	Europees
Faeröer, de	Faeröerder	Faeröers
Falklandeilanden, de	Falklander	Falklands
Fiji	Fijiër	Fijisch
Filipijnen	Filipijn	Filipijns
Finland	Fin	Fins
Frankrijk	Fransman, mv.: Fransen vrl.: Française	Frans
Frans Guyana	Fransguyaan	Fransguyaans
Frans Polynesië	Franspolynesiër	Franspolynesisch
Gabon	Gabonees	Gabonees
Gambia	Gambiaan	Gambiaans
Ghana	Ghanees	Ghanees
Gibraltar	Gibraltarees	Gibraltarees
Grenada	Grenadaan	Grenadaans
Griekenland	Griek	Grieks
Groenland	Groenlander	Groenlands
Guadeloupe	Guadelouper	Guadeloups
Guam	Guamees	Guamees
Guatemala	Guatemalaan	Guatemalaans
Guinee	Guineeër	Guinees
Guinee-Bissau	Guineebissauer	Guineebissaus
Guyana	Guyaan	Guyaans
Haïti	Haïtiaan	Haïtiaans
Honduras	Hondurees	Hondurees
Hongarije	Hongaar	Hongaars
Hongkong	Hongkonger	Hongkongs
Ierland	Ier	Iers
India	Indiër	Indisch

Indonesië	Indonesiër	Indonesisch
Iraq	Irakees	Iraaks
Iran	Iraniër	Iraans
Israël	Israëliër	Israëlisch
Italië	Italiaan	Italiaans
Ivoorkust	Ivoriaan	Ivoriaans
Jamaica	Jamaicaan	Jamaicaans
Japan	Japanner	Japans
Joegoslavië	Joegoslaaf	Joegoslavisch
Jordanië	Jordaniër	Jordaans
Kaapverdië	Kaapverdiër	Kaapverdisch
Kampuchea (Cambodja)	Kampucheaan	Kampucheaans
Kanaaleilanden	Kanaaleilander	Kanaaleilands
Kenya	Kenyaan	Kenyaans
Kiribati	Kiribatiër	Kiribatisch
Kuwayt	Kuwayter	Kuwayts
Laos	Laotiaan	Laotiaans
Lesotho	Lesothaan	Lesothaans
Libanon	Libanees	Libanees
Liberia	Liberiaan	Liberiaans
Libië	Libiër	Libisch
Liechtenstein	Liechtensteiner	Liechtensteins
Luxemburg	Luxemburger	Luxemburgs
Macau	Macauer	Macaus
Madagascar	Madagas	Madagaskisch
Malawi	Malawiër	Malawisch
Maldiven, de	Maldiviër	Maldivisch
Malaysia	Malaysiër	Malaysisch
Mali	Malinees	Malinees
Malta	Maltees	Maltees
Marokko	Marokkaan	Marokkaans
Martinique	Martiniquaan	Martiniquaans
Mauretanië	Mauretaniër	Mauritaans
Mauritius	Mauritiaan	Mauritiaans
Mexico	Mexicaan	Mexicaans
Monaco	Monegask	Monegaskisch
Mongolië	Mongoliër	Mongolisch
Moçambique	Moçambiquaan	Moçambiquaan
Namibia	Namibiër	Namibisch
Nauru	Nauruaan	Nauruaans
Nederland	Nederlander	Nederlands
Nederlandse Antillen, de	Antilliaan	Antilliaans
Nepal	Nepalees	Nepalees
Nicaragua	Nicaraguaan	Nicaraguaans
Nieuw-Caledonië	Nieuwcaledoniër	Nieuw-caledonisch
Nieuw-Zeeland	Nieuwzeelander	Nieuwzeelands
Niger	Nigerees	Nigerees
Nigeria	Nigeriaan	Nigeriaans

Noord-Jemen	Noordjemeniet	Noordjemenitisch
Noord-Korea	Noordkoreaan	Noordkoreaans
Noorwegen	Noor	Noors
Oekraine	Oekrainer	Oekrains
Oman	Omaniet	Omanitisch
Oostenrijk	Oostenrijker	Oostenrijks
Oost-Timor	Oosttimorees	Oosttimorees
Pakistan	Pakistaan	Pakistaans
Panama	Panamees	Panamees
Paraguay	Paraguayaan	Paraguayaans
Peru	Peruaan	Peruaans
Polen	Pool	Pools
Portugal	Portugees	Portugees
Puerto Rico	Puertoricaan	Puertoricaans
Qatar	Qatarees	Qatarees
Roemenië	Roemeen	Roemeens
Rwanda	Rwandees	Rwandees
San Marino	Sanmarinees	Sanmarinees
Saudi-Arabië	Saudiër	Saudisch
Senegal	Senegalees	Senegalees
Seychellen, de	Seycheller	Seychels
Sierra Leone	Sierraleoner	Sierraleoons
Singapore	Singaporaan	Singaporaans
Somalia	Somaliër	Somalisch
Sovjet-Unie	Sovjetrus — Rus	Sovjetrussisch — Russisch
Spanje	Spanjaard	Spaans
Sri Lanka	Srilankaan	Srilankaans
Sudan	Sudanees	Sudanees
Suriname	Surinamer	Surinaams
Swaziland	Swaziër	Swazisch
Syrië	Syriër	Syrisch
Taiwan	Taiwanees	Taiwanees
Tanzania	Tanzaniaan	Tanzaniaans
Tchad	Tchadiër	Tchadisch
Thailand	Thailander	Thais
Tibet	Tibetaan	Tibetaans
Togo	Togolees	Togolees
Tonga	Tongaan	Tongaans
Tsjechoslowakije	Tsjechoslowaak	Tsjechoslowaaks
Tunesië	Tunesiër	Tunesisch
Turkije	Turk	Turks
Tuvalu	Tuvaluaan	Tuvaluaans
Uganda	Ugandees	Ugandees
Uruguay	Uruguayaan	Uruguayaans
Vanuatu	Vanuatuaan	Vanuatuaans

Venezuela	Venezolaan	Venezolaans
Verenigde Staten, de	Amerikaan	Amerikaans
Verenigd Koninkrijk, het Groot-Brittannië	Brit	Brits
Vietnam	Vietnamees	Vietnamees
West-Samoa	Westsamoaan	Westsamoaans
IJsland	IJslander	IJslands
Zaïre	Zaïrees	Zaïrees
Zambia	Zambiaan	Zambiaans
Zimbabwe	Zimbabwaan	Zimbabwaans
Zuid-Afrika	Zuidafrikaan	Zuidafrikaans
Zuid-Jemen	Zuidjemeniet	Zuidjemenitisch
Zuid-Korea	Zuidkoreaan	Zuidkoreaans
Zweden	Zweed	Zweeds
Zwitserland	Zwitser	Zwitsers

Uit: *Schrijfwijze van buitenlandse namen,* Staatsuitgeverij, 's-Gravenhage, 1987.

Appendix 3

Lijst van onregelmatige werkwoorden

In deze lijst zijn geen samengestelde werkwoorden opgenomen.
Als de voltooide tijd gevormd wordt met 'zijn' staat er tussen haakjes 'zijn' achter het voltooid deelwoord.

infinitief	*onvoltooid verleden tijd*	*voltooid tegenwoordige tijd*
bakken	bakte, bakten	gebakken
beginnen	begon, begonnen	begonnen (zijn)
begrijpen	begreep, begrepen	begrepen
bespreken	besprak, bespraken	besproken
bestaan	bestond, bestonden	bestaan
bevallen	beviel, bevielen	bevallen (zijn)
bieden	bood, boden	geboden
blijken	bleek, bleken	gebleken (zijn)
blijven	bleef, bleven	gebleven (zijn)
breken	brak, braken	gebroken
brengen	bracht, brachten	gebracht
buigen	boog, bogen	gebogen
denken	dacht, dachten	gedacht
doen	deed, deden	gedaan
dragen	droeg, droegen	gedragen
drinken	dronk, dronken	gedronken
eten	at, aten	gegeten
gaan	ging, gingen	gegaan (zijn)
geven	gaf, gaven	gegeven
hangen	hing, hingen	gehangen
hebben	had, hadden	gehad
helpen	hielp, hielpen	geholpen
heten	heette, heetten	geheten
hoeven	hoefde, hoefden	gehoeven
houden	hield, hielden	gehouden
kiezen	koos, kozen	gekozen
kijken	keek, keken	gekeken
komen	kwam, kwamen	gekomen (zijn)
kopen	kocht, kochten	gekocht
krijgen	kreeg, kregen	gekregen
kunnen	kon, konden	gekund

laten	liet, lieten	gelaten
lezen	las, lazen	gelezen
liggen	lag, lagen	gelegen
lijden	leed, leden	geleden
lijken	leek, leken	geleken
lopen	liep, liepen	gelopen
meten	mat, maten	gemeten
moeten	moest, moesten	gemoeten
mogen	mocht, mochten	gemogen
nemen	nam, namen	genomen
rijden	reed, reden	gereden (zijn/hebben)
roepen	riep, riepen	geroepen
schieten	schoot, schoten	geschoten
schrijven	schreef, schreven	geschreven
slapen	sliep, sliepen	geslapen
sluiten	sloot, sloten	gesloten
spijten	speet (het), —	gespeten
spreken	sprak, spraken	gesproken
springen	sprong, sprongen	gesprongen
staan	stond, stonden	gestaan
steken	stak, staken	gestoken
trekken	trok, trokken	getrokken
treden	trad, traden	getreden
vallen	viel, vielen	gevallen (zijn)
verbinden	verbond, verbonden	verbonden
verbreken	verbrak, verbraken	verbroken
vergeten	vergat, vergaten	vergeten (zijn/hebben)
verkopen	verkocht, verkochten	verkocht
verlaten	verliet, verlieten	verlaten
vertrekken	vertrok, vertrokken	vertrokken (zijn)
vinden	vond, vonden	gevonden
vragen	vroeg, vroegen	gevraagd
willen	wou, wouden wilde, wilden	gewild
worden	werd, werden	geworden (zijn)
zeggen	zei, zeiden	gezegd
zien	zag, zagen	gezien
zijn	was, waren	geweest (zijn)
zitten	zat, zaten	gezeten
zoeken	zocht, zochten	gezocht
zullen	zou, zouden	—

Register

Lijst van afkortingen

aanw	=	aanwijzend	lidw	=	lidwoord	vn	=	voornaamwoord
betr	=	betrekkelijk	mv	=	meervoud	vr	=	vragend
bez	=	bezittelijk	onb	=	onbepaald	vw	=	voegwoord
bn	=	bijvoeglijk naamwoord	pers	=	persoonlijk	vz	=	voorzetsel
bw	=	bijwoord	telw	=	telwoord	wederk	=	wederkerend
			tw	=	tussenwerpsel	ww	=	werkwoord

De woorden met een • staan in P. de Kleijn en E. Nieuwborg, *Basiswoordenboek Nederlands*, Wolters-Noordhoff, Groningen, 1983. De cijfers achter de woorden verwijzen naar de les waarin ze voor het eerst voorkomen.

• paars 13
het pakje 5
• pakken 6
de pantalon 6
de papierfabriek 16
de paprika 5
pardon 4
het park 2
het parlement 11
parlementair 11
de participatie 9
• particulier 14
• de partij 4
• pas 11
het paspoort 8
• passen 5
de pauze 5
pellen 16
• de pen 4
het pensioen 16
• per 3
het percentage 11
• de periode 16
• de pers 9
• de persoon 4
• de pijn 14
de/het pils 3
het pilsje 3
• de plaat 14
• de plaats 4
het plaatsbewijs 7
• plaatsen 11
• het plan 12
het plastic 13
plastic 13
de plicht 11
de plooi 6
plukken 16
de polikliniek 14
de politicus 11
• de politie 9
• de politiek 4
• politiek 4
• het pond 5
de porto 8
Portugees 15
• de post 8
de postbode 8
de postbus 9
de postcode 1
het postkantoor 12
de postzegel 13
• prachtig 13
de praktijkervaring 16
• praten 4
• precies 6
• prettig 1
• de prijs 4
de prijslijst 6
prima 12
• het principe 9
— in principe 9
• proberen 5
• het probleem 6
professioneel 9
• het programma 11
de promotiekans 16
proost 3
het protest 9
de protestactie 9
• protesteren 11
• het punt 12

R

• de raad 9
• het raam 12
• de radio 9
de radionieuwsdienst 9
de ramp 6
• de reactie 11
• zich realiseren 14
de receptie 1
• het recht 11
rechtdoor 7
de rechterhand 7
de rechterkant 7
• rechts 7
rechtsaf 7
• redelijk 15
• de reden 13
• regelen 11
• regelmatig 14
• de regen 11
de regenjas 6
• de regering 11
• de reis 4
• reizen 7
• de reiziger 16
• de rekening 8
repareren 6
• reserveren 3
• het restaurant 3
• het resultaat 10
• het retour 7
het revalidatiecentrum 14
• de richting 15
de riem 6
het rijbewijs 7
• rijden 9
de rijksdaalder 5
• de rijst 5
het roddelblad 9
• roepen 8
• de rok 6
• rond (vz) 12
• rond (bn, bw) 13
• rood 3
de rosbief 4
rose 13
het rubber 6
• de rug 14
de ruil 15
— in ruil voor 15
• de ruimte 13
rundlederen 13
• rustig 10

S

de salami 4
het salaris 16
de salontafel 13
de schande 16
• schelen 14
— wat scheelt je? 14
• schitterend 13
• de schoen 5
de schoenenwinkel 5
de schoenmaker 6
• de school 2
het schooltype 15
• schoon 12
het schoonmaakwerk 16
schoonmaken 6
• de schouder 14
de schrijfster 14
• schrijven 12
• de seconde 7
• het seizoen 2
het sensatieverhaal 9
serieus 9
de serveerster 4
de sinaasappel 5
• de situatie 9
• de sjaal 6
• de sla 3
de slaapkamer 13
de slaapkamerkast 13
• het slachtoffer 11
• slagen 15
• slapen 3
• slecht 4
• het slot 9
— tot slot 9
— ten slotte 9
• sluiten 12

Bronvermelding illustraties

Tekeningen

Hans Brik, Enkhuizen 157
Camila Fialkowski, Breda 20*b*, 28, 40*b*, 60, 94*b*, 102, 110*b*, 137*b*
Sandra Ireland, Bovenkarspel 31*b*, 37, 48*b*, 56, 58*b*, 68*b*, 70, 72, 77*b*, 120, 128*b*, 145, 148*b*
Anjo Mutsaars, Haren 13, 22, 32, 43, 51, 58*o*, 59*b*, 62, 63, 64, 65, 66*b*, 68*o*, 77*o*, 78, 113, 131, 148*o*
Jo Nesbitt, Amsterdam 8, 9, 11, 14, 23, 31*m* en *o*, 33, 34, 35, 41, 45, 48*o*, 52, 59*o*, 79, 86, 90, 94*o*, 110*o*, 111, 116, 117, 122, 128*o*, 131, 139, 151
Erwin Suvaal, Rotterdam 10, 20 *m* en *o*, 21, 24, 25, 26, 40*o*, 73, 80, 81, 82, 112, 115, 132, 137*o*, 140
Willem Vleeschouwer, Amsterdam 66*o*, 98, 121, 143

Foto's

ABC Press, Amsterdam 126
ANP Foto, Amsterdam 16*rb*, 29*ro*, 30*lo*, 30*lb*, 49, 87, 96
Het Kaartenhuis. © Ronald Hammega 23
Harm Kuiper, Amsterdam 55, 81, 84, 155
Nationaal Foto Persbureau, Amsterdam 29*lo*, 103
André Ruigrok, Landsmeer 124*b*
Bert Verhoeff, Amsterdam 106

Omslag

De Dokwerker, Amsterdam Nationaal Foto Persbureau, Amsterdam
Skûtsjesilen ABC Press, Amsterdam
Het Binnenhof, Den Haag ABC Press, Amsterdam
Scheveningen ABC Press, Amsterdam
De haven van Rotterdam ABC Press, Amsterdam
Fietsen Nationaal Foto Persbureau, Amsterdam
Polder ABC Press, Amsterdam
Elfstedentocht P. Horree, Leiden
World Trade Center, Rotterdam ABC Press, Amsterdam
Draaiorgel P. Horree, Leiden
Schiphol ABC Press, Amsterdam